DEMOCRACY
IN DENMARK

デンマークにみる

普段着のデモクラシー

人びとが"しあわせ"といえるわけ

小島ブンゴード孝子　澤渡夏代ブラント

かもがわ出版

創ることほど美しいものはない。
それを生かし続けるほど難しいことはない。
古代ギリシャの哲学者ディオゲネス

レゴを積み上げて遊ぶ少女

はじめに

私たちはつい最近まで、「グローバル社会」とか「世界はひとつ」といったフレーズをよく耳にしていました。通信技術や交通手段が発達したおかげで、世界中の人びとが自由に、また頻繁に交流できるようになり、物流が活発化したことで、生活がますます便利で豊かになり、その恩恵を受けた多くの人たちは、ひとつの世界を実感していたのではないでしょうか。

ところが２０２０年の春、世界の一地域に出現した新型コロナウイルスは、またたく間に全世界を駆け巡り、コロナ・パンデミックは世界中の人びとを恐怖に陥《おとしい》れ、自由で平和だと感じていたこれまでの生活が、音を立てて崩れていくように思われました。さらに２０２２年2月には、これに追い打ちをかけるように、ロシアによるウクライナ侵攻が勃発し、世界平和の根幹を揺るがすようなこの想定外の事態は、世界に混乱と分断をもたらしました。この状況を「民主主義対専制主義」と捉える人も多く、特に日本を含む欧米諸国では、民主主義のあり方を問う動きが、顕著に見られるようになりました。

世界には民主主義を掲げている国が多数存在していますが、その実態や理念は実にまちまちで、成熟した民主主義もあれば、中には挿し木したような民主主義や、芽生えたばかりの民主主義もあります。また「多数決でものごとを決めることが、民主主義の基本だ。」と考えている国もあれば、デンマークなどのように、「多数決でものごとを決めるのは暴力に等しく、対話と相互理解によって合意に至るプロセスこそが民主主義だ。」と考える国もあります。これはかなり大きな解釈の違いではないでしょうか。

私たち二人は、それぞれデンマーク人の夫とともに家庭を築き、日本国籍を保持しつつ長年仕事に従事してきました。そして少なくとも私たちは、外国籍でもデンマーク人と同等の社会的権利を有し、安心した生活が保障されてきたと感じています。世界のいたるところで民主主義の論議が持ち上がっている中、私たちは申し合わせたように、「これまで二人が日々の生活で感じてきたデンマークのデモクラシーのありようを、今こそ伝えなくては！」と意気投合したのです。

なぜ「今こそ」なのかというと、①デンマークには150年以上の年月をかけてデモクラシーを徐々に熟成させてきた歴史があり、②デンマークに暮らす人びとが、今なお、このデモクラシーを最もたいせつな価値観として守り続けようとしており、さらに、③「人は母乳からデモクラシーを授かる」

とか「デンマークの子どもたちには、誕生祝いにデモクラシーが贈られる」といわれるほど、人びとの生活の中にデモクラシーが深く浸透していることを、二人が肌で感じているからです。

ただ民主主義やデモクラシーという言葉には、どうも政治やイデオロギー的な響きがあるため、往々にして、固くてむずかしい話ではないかと敬遠されがちです。ところが、デンマークのデモクラシーは、とりわけ固い話でも、政治的な話でもありません。

それは、人が生まれ成長していく過程の中で身につけていく「対話」や「信頼と連帯」、「個と社会のバランス」や「多様性の中の平等精神」などの中に見られるもので、いってみれば、生活文化のようなものなのです。自分らしさが尊重される社会では、自ら描いた人生設計をそれなりに貫くことが可能です。これを実感できるかどうかが、人びとの満足度につながり、いいかえれば、人びとの幸福度につながるのではないでしょうか。国連の幸福度調査で常にデンマークが上位にランキングされる理由の一つは、ここにあるように思われます。

デンマークでの福祉研修を終えたある日本人が、「デンマークという社会は、どこを切っても金太郎あめのようにデモクラシーが出てきますね。」と帰国ぎわに感想を述べていました。

私たちは、この本の中で、デンマークが歩んできたデモクラシーの歴史に触れるとともに、デモクラシーが普段の生活にどのように反映され、人びとはそれをどのように学び、どう考えているかなどを、自分たちの体験エピソードや多くの人たちへのインタビューをおり交ぜながら、生活者の立場でわかりやすくひも解き、伝えたいと思います。

今世界は、第二次世界大戦後最大の危機に遭遇しているといわれており、また世界のいたるところで「デモクラシーの危機」が叫ばれています。ふるさと日本も決してその例外ではなく、深刻な社会問題が山積していると感じています。ここに紹介するデンマークの「普段着のデモクラシー」が、日本の今そして未来のあり方を見つめ直す一つのきっかけになれば、嬉しく思います。

２０２３年　春　コペンハーゲンにて

デンマークにみる 普段着のデモクラシー

人びとが〝しあわせ〟といえるわけ

もくじ

第三章　デンマークの「人のかたち」——こうやってデモクラシーは育つ

第四章　生活の中のデモクラシー――137

第五章　異文化をくらして

装丁　加門啓子

第一章

北欧の光

その昔ヨーロッパに移り住んだ人たちは、生きるのに快適な場所に定住した。そこでは、幸せを得るために闘う必要はなかった。けれど、あぶれてしまった人たちは、寒く暗い北ヨーロッパに移るしかなかった。そこを快適な安住の地にするため、人びとは懸命に努力し、そしていま、世界で最も幸せな民となった。

（出所　DR Kultur & Kunst）

フォーク・ミーティングに集まった人びと

一・デンマークを照らす「光」がもたらすもの

⑴ 光を受ける喜び

私たち二人がデンマーク人と結婚してデンマークで生活を始めたのは1970年代で、当時は、人びとが既成社会からの脱却を願って、学生運動や女性解放運動を繰り広げていた時代でした。しかし私たちには、まだ社会運動を理解する力も余裕もなく、デンマークの日常生活を知ることで精一杯の日々でした。日本から来たばかりの私たちは、人びとがまだ小寒い4月、まれに日が差すと、光を求めて腕まくりをして素肌になり、目をつぶって顔を太陽に向けて温もりを楽しんでいる姿に、「まだ寒いのに、わざわざなぜ?」と不思議に思ったものです。

北欧の昼と夜は、夏と冬で極端に時間幅が異なり、夏至の日照時間は17時間32分もあります。その時期の東の空は、午前4時半ごろから明るくなり、時計が一回りしてもまだ明るく、ゆっくりと空の色を変えながら西に陽が沈むのは22時ごろです。そのあとも真っ暗な闇になり切れず、群青色の空のところどころに沈み切れない太陽の反射を受けてか、明るい空さえのぞいています。

反対に冬至の日照時間は、たったの7時間1分。午前8時30分ごろやっとあたりが明るくなり、ゆっくりと朝が始まります。この時期の太陽は、東から西へと地平線を這うように移動していき、雨や曇りの日などは一日中どんより暗く、そのまま日没の15時30分を迎えれば、直ぐに闇の暗さに突入です。

明るい時間がたった7時間と聞くと、「さぞ寂しく憂鬱なのだろう。」と思いがちです。しかし人びとは、天候が悪く室内で過ごす時間が多くなる冬を快適に過ごせるように、これまでさまざまな工夫を凝らしてきました。世界的に知られているデンマーク家具や照明器具などは、そこから生まれた代表的なもので、それらが醸し出すぬくもり、シンプルなデザイン、機能性が長く愛され続けているのもそのためだと思います。このように「昼と夜」、「明るさと暗さ」の時間差が極端にあるということが、太陽に恵まれた国に住む人びとより光を敏感に感じとり、太陽の光に喜びを感じ、精一杯楽しむ国民性を生み出したようです。

⑵ 夏至祭とクリスマス

デンマークには、「光」にスポットを当てた年中行事として、夏至祭とクリスマスがあります。そしてこの二つの行事は、キリスト教の二人の大物人物、イエスキリストとヨルダン河で彼に洗礼を授けた洗礼者聖ハンス（聖ヨハネ）の誕生日と深く関係しています。聖ハンスの誕生日は6月24日で、イエスキリストの誕生日は半年後の12月25日。ちょうど夏至と冬至の時期にあたります。

夏至は暦の上では6月21日ごろですが、夏至の明るい夜を喜び楽しむ夏至祭を、デンマークでは聖ハンス前夜祭（Sankt Hansaften）と呼び、6月23日におこないます。そしてイエスキリストの誕生日前夜12月24日にクリスマスを祝うようになったとか。

聖ハンスの誕生前夜祭は、大きな焚き火をしてお祝いする習慣です。これは、バイキング時代から、日が最も長い夜に「魔」が活発になると信じられていたため、この夜に火を焚き、「魔」を追い払う儀式がおこなわれてきたことに由来します。

デンマークの夏至祭

この日、各地の海岸、湖や池、広場、公園などには薪が焚き火用に山と積まれ、三々五々集まった人たちは、そのまわりで日が暮れるのを待ちます。時計が22時を過ぎ、太陽がゆっくり西に沈み始め、空が少しずつ暗くなり始めるころ、薪に火が灯され、その瞬間人びとは歓声をあげて喜び、夏至祭にちなんだ歌を合唱します。その火は、メラメラと音を立てて大きな炎となって燃え上がり、昔の人が「光」で魔力を遠ざけると信じてきたことに、頷けるような気がします。

デンマークでは、この行事を境に学校は夏休みに入り、また多くの人たちが3～4週間の夏の休暇に突入しますが、一方夏至を越えるということは、これからまた日が短くなり、秋冬に向かうことでもあるのです。

冬の寒さ暗さが本格化する11月ごろになると、一年のハイライトであるクリスマスシーズンの到来です。街の商店街や住宅地では、暗さや寒さを吹き飛ばすがごとくイルミネーションが輝き、店頭にはクリスマス商品が並び、私たちの気持ちもなんとなくわくわくしてきます。それぞれ家族一同へのプレゼントを用意し、クッキーを焼き、クリ

クリスマスツリーと家族

スマス用保存料理を準備し、クリスマスデコレーションを作るなど、準備することは山ほどあります。保育園や学童保育に通う子どもたちも大忙しで、両親やきょうだいそして祖父母たちへのクリスマスプレゼントをせっせと作り始めます。デンマークでは、子どもだけがプレゼントをもらうのではなくて、お絵かきができるような年齢から自分でプレゼントを用意し始め、小さな子も「もらう」には、自分も「あげる」ことを学んでいきます。

そして一番大切な準備は、ツリーを飾ることです。ツリーに使うモミの木は、植林所に自分で切りにいく人もいれば、街角に出る季節限定のツリー売り場で好みの木を購入する人もいます。クリスマスツリーは、1800年代の初めにドイツからデンマークに渡ってきました。当時は、リンゴや手作りのペーパークラフトで木を飾り、小さなキャンドルを木の枝にかけて火を灯し、その炎が燃えて暗い部屋を黄金色に照らしたそうです。

それから200年の歳月が経ち、クリスマスツリーの飾りは多少様変わりはしたものの、キャンドルに火を灯してクリスマスを祝うことは、今も昔も変わりありません。クリスマスイブには、伝統クリスマス料理を食べ、その後全員が手をつないでクリスマスソングを歌いながらツリーのまわりを回り、やっと待ちに待ったプレゼントの交換になり、イブは最高潮に達します。

そんな光景をアンデルセン童話に登場する「マッチ売りの少女」は、寒さに震えながら、街中の裕福な家庭の居間に飾られたクリスマスツリーを窓越しに見ていました。少しも売れないマッチにぬくもりを求めて一本擦ると、あたりがパッと明るくなり、まるでストーブを前にしているように暖かく感じ、冷たい足を温めようとすると、マッチの炎は消えてしまいます。またもう一本擦ると、美味しそうなガチョウの丸焼きが見え、でもまた消えてしまいますが、マッチが燃えている間、少女は暖かさと喜びを得ていました。3本目のマッチを擦ると、少女を可愛がってくれていた祖母が光り輝いて現れ、祖母に「一緒に連れていって！」と頼みながら全部のマッチを擦ってしまいます。あたりは昼より明るくなり、祖母は少女を抱きかかえて、寒さもひもじさもない天国に連れていった、というお話です。

凍え死ぬ少女の話はとても切ないのですが、ここには、マッチの光でさえも人の心にぬくもりを与え、マッチ売りの少女が、ほほ笑みを浮かべながら祖母と天国にいくという「光」のもつ慈恵が込められています。クリスマスイブの数日前12月21日は冬至です。昼が7時間で一日中暗い時期ですが、だからこそ、「ああ冬至が過ぎれば、これから春に向かって昼が長くなる。」という春への期待と喜びを感じます。北欧の人々は、冬の暗さがあって、はじめて「光」のありがたさを強く感じるのだと思います。

⑶「ヒュッゲ」を求めて

最近日本で、「ヒュッゲ Hygge」というデンマーク語が日本語化されて、街を歩き出しているようです。例えば、「レストラン・ヒュッゲ」が開店したとか、またテキスタイルのコレクションテーマとして「Ｈｙｇｇｅヒュッゲ」がブランド化されたとか、「ヒュッゲは、ストレスフリーなライフスタイル」と定義する日本のジャーナリストもいるようです。

デンマークの言葉がカタカナ表示で日本語化されていくのは嬉しいことなのですが、その一方で、何か言葉だけがひとり歩きしているような違和感も覚えます。

「ヒュッゲ Hygge」または形容詞で「ヒュゲリ Hyggelig」は、「楽しさ、快適さ、寛ぎ、喜び、嬉しさ」などの気持ちを全部混ぜ合わせた中から醸し出される気持ちを表現した単語で、デンマーク人ですら、はっきりとその単語の意味を説明できないデンマーク特有の感情表現です。

この言葉は、日常会話の中で頻繁に使われます。一例として、デンマーク人の家族や友人との交流があげられ、自宅に食事やお茶に招待し、楽しいひと時を過ごす習慣に見ることができます。私たちも家族や友人を招いたり、また招かれたりして会食をエンジョイしていますが、時には日本食を、時にはデンマーク料理を、と献立を考えるのも楽しみの一つです。こういう日は、ケーキを焼き、花を飾り、料理にとりかかり、来客の前にキャンドルに火を灯しておきます。客が集まり食事が始まると、「あら美味しい、どうやって作ったの。」と料理をほめたり、レシピを交換したりと、ワイングラスを片手に近況話に花を咲かせます。仲間との楽しいおしゃべりと心の籠った手作り料理、それにキャンドルの光とお互いを気遣う心のゆとりから、「ああ、とってもヒュゲリな晩ね。」という言葉が出てくるのです。

デンマーク語の「ヒュッゲ」は、「ヒュッゲな場所」や「ヒュッゲなテキスタイル」だけでなく、熟成されたデモクラシーと安心できる社会システムが基盤にあり、その中で生活を楽しむ人びとの心のゆとりがあってこそ、本当に感じられる言葉だといえます。

二. 上からの光と下からの光

(1) 光ということば

北欧デンマークに暮らす人たちにとり、太陽の光、そしてキャンドルやランプの灯がどんな意味を持つか、またなぜこれらの光にこだわるのかについて、これまで触れてきました。それだけでも、私たち日本人からすると驚きなのですが、光を執拗なまでに追い求めるデンマーク人の気質は、どうもそれだけでは収まらないようです。

日本語でも、「光」は物理的な光線だけでなく、「光明」といったより抽象的な「明るさ」や「希望」という意味や、仏語における「慈悲」とか「知恵」を象徴する意味で使われることがあると思います。実はデンマーク語の光＝LYSにも、同じように「明るさ」とか「希望」といった意味があり、動詞のLYSE（＝かがやく、明るくする、照らす）は、「わかる」という意味で使われることもあります。

そしてLYSER OP（＝LIGHT UP）というと、上へと光が照らされるという意味から、「喜ぶ、感激する、納得する」という意味も持っていて、OPLYSEという動詞は、「伝える、教え導く、啓蒙する、啓発する」という意味になり、OPLYSNINGは「解き明かすこと、啓蒙、啓発」を意味します。

デンマークでの暮らしにようやく慣れ始めたころ、私たちは、「デンマーク人は、社会人として働いている人も、退職したシニアたちも、まあなんて勉強好きなのだろう。すごいなぁ。」と驚いたものです。でもこの国に長年生活してみて、この国民性というか、デンマーク人の気質がどこから来ているかを理解することができました。それは、OPLYSNINGという言葉に込められている「下からの光＝互いに啓発し合い、学び合うこと」への願望なのです。そしてこれは、過去の長い歴史の中で、じっくり熟成されてきました。

⑵ 150年以上前にデンマークで起きたこと

今から約150年前の日本で何が起きたかを、まず思い起こしてください。それは、誰もが学校の歴史の授業で勉強し、テレビドラマなどでもよく取り上げられていておなじみの、開国・大政奉還による江戸幕府の終結、明治維新の流れの中で、日本の近代化が進んだ時代です。それとほぼ同じころ、デンマークでも、社会の根幹を揺るがすような大きな変化が次々と起こりました。

まずその発端となったのは、18世紀後半から19世紀前半にかけて起きた農地改革です。デンマークの農業は、長年にわたり荘園主が広大な農地を所有し、その下で自分の土地を持たず、その土地から離れることができないいわゆる小作人によってまかなわれてきました。ただこのような農業の形では、農民たちは常に貧しく疲弊するばかりで、ちっとも生産性は上がりません。日本なら農民一揆が起きていたかもしれません。でもデンマークでは、なんと、各地の荘園主たちが、農業生産性を高めたいがために、農民たちに学びの機会を与え、さらに小作人制度を撤廃して、自分たちが所有していた農地の多くを農民たちに分け与えるという大改革に着手しました。

社会の底辺にいた小作農民たちは、これにより自由と独立を獲得し、社会の一員である市民へと成長していくことになります。そして農民たちのモチベーションが高まり、生産性が大幅に伸びたことはいうまでもありません。そしてこの改革がほぼ全国にいきわたった１８１４年には、なんと、世界で最も早く、すべての民を対象とする義務教育制度が敷かれました。

次に起きた大きな変革は、１８４９年に制定された民主憲法により、長年続いた専制君主制が幕を閉じて、立憲君主制・議会政治が誕生したことです。それより約半世紀前に勃発したフランス革命では多くの血が流されましたが、デンマークにおける民権政治への変革では、一滴の血も流されませんでした。デンマーク人はバイキングの子孫なので、さぞ血の気の多い国民かと思いきや、農地改革にしても、民主化運動にしても、穏便に進めることができたのはどうしてなのでしょう。興味が湧きますし、驚きでもあります。

そしてもう一つの大きな出来事、それは、１８６４年に隣国プロシア（現在のドイツ）との戦いに敗れて、多くの豊かな農地を失い、国家存続の危機に陥ったことです。当時の国王は、プロシアに密書を送って、属国になることを覚悟していたようですが（近年になり、その事実が明らかにされました。）、「民＝Folk」はあきらめずに、国の復興を強く望みました。「外で失ったものは、内で取りもどせ」を合言葉に、やせた土地を開拓して農地を生み出す運動や、農業に従事している若者のための国民高等学校（Folkehøjskole）というデンマーク独特の全寮制成人教育などが、復興のための大きな原動力になったようです。

(3) 怒涛の時代の道しるべ

19世紀のデンマークは、まさに怒涛の時代であったといえますが、ここにきて、政治体制のような目に見える変化だけでなく、人びとの生き方や価値観というような目に見えにくい部分も大きく変化しました。このような動きは、自然発生したものではなく、やはりここには、道しるべとなった人たちがいたに違いありません。

グルントヴィーの肖像画

それは当然一人ではなかったと思いますが、もしその中で代表株を一人あげるとするならば、誰もが、それは牧師であり、詩人であり、教育者であり、政治家でもあったグルントヴィー（N.F.S.Grundtvig、1783―1872年）だと答えるでしょう。彼は、専制君主・小作農業時代に生まれ、その後の農地改革・民主憲法・敗戦・

復興活動のすべてを身近に体験した人でしたが、いくつもの肩書きからも想像できるように、社会のあらゆる分野で超人的なエネルギーを放ち、彼のことばは、その後のデンマーク社会を精神的に導くことになりました。

彼が声を大にして唱えたことの一つ、それは、当時の農民たちをデンマークという国を支え動かすにふさわしい自律した「民＝Folk」にまで高める教育が必要だということで、これを実現するための新しい教育の場を作ることを提唱しました。それが、すでに紹介した国民高等学校（Folkehøjskole）です。

農閑期に集まった若者たちは、この学校で、教科書からではない「生きたことば」（対話や講演や討論など）を媒体にして、さまざまなことを学び、自分のこと、地域のこと、そして国の将来のことを考えたのです。これが、FOLKE-OPLYSNING（民のための啓蒙・啓示教育）でした。「下からの光」は、このような流れを踏んで、デンマーク人のＤＮＡの中に、じわりじわりと組み込まれていったようです。

そして学校から戻った若者たちが中心となって、農業協同組合が組織され、都会に出て労働者となった農家出身の若者たちが労働組合を組織し、市民権・選挙・政党を通じての政治活動へと広がっていきました。また生きたことば＝対話を重視する教育精神は、今もなお、デンマークの学校教育の根底に脈々と流れ続けています。

デンマークの政治家たちは、政党の枠を超えて、「グルントヴィーという人が近世デンマークに輩出したからこそ、今のデンマークの社会基盤である民権民主主義がある。」と声を揃えて語ります。また数年前に「現代のデンマーク社会に一番大きな影響を与えた人はだれか？」というアンケート調査がおこなわれましたが、結果は一位グルントヴィーでした。彼が生きた時代には、世界的に有名な童話作家アンデルセン（H.C.Andersen、１８０５―１８７５年）や哲学者キルケゴール（Søren Aabye Kierkegaard、１８１３―１８５５年）などが輩出していますが、社会影響力という点では、どうもグルントヴィーの上をいく人はいないようです。

クリスマスイブの日、デンマークでは、教会で、また家庭でクリスマスツリーを囲みながら、小さな子どもからシニアまでが一緒になって、クリスマスキャロルを合唱するのが習わしです。その多くはグルントヴィーが作詞したもので、あの有名な「きよしこの夜」も、保育園児ですら彼のデンマーク語の歌詞をしっかり覚えていて、大きなお口を開けて一心に歌います。

第二章

デンマークの「国のかたち」

1849 年民主憲法制定集会

一．デモクラシーのあゆみ（18—19世紀のデンマーク）

第一章では、デンマーク人にとり「光」が生きていく上で欠かせない大切なもので、特に下からの光である啓蒙教育を受けたことが、デンマーク独特のデモクラシーを生む大きなエネルギーになったことをお伝えしました。

ここではもう少し詳しく、デンマークのデモクラシーがどのような土壌から生まれ、歴史の流れの中でどのようにはぐくまれ、今日に至っているかについて考察してみたいと思います。

(1) デモクラシーの夜明け前に何が起きたのか

18世紀半ば、デンマークは専制君主の下で貴族たちが広大な荘園農地を所有し、小作人を使って農業を営む農業国でした。また王室はじめ上流階級の人びとが日常使っていた言語は、デンマーク語ではなく、文語も口語も主にドイツ語で、当時デンマーク国王の統治下におかれていたユトランド半島南部のシュレースヴィヒ公国（Schleswig）やホルシュタイン公国（Holstein）は、完全にドイツ語圏でした。

このような時代に輩出した官僚貴族に、レーヴェントロウ（C.D.F.Reventlow、1748―1827年）という人がいます。今を生きる一般デンマーク人にとっては少々影が薄い存在なのですが、デンマークのデモクラシーを語るとき、避けて通れない人物の一人と知り、興味が湧いたので、少し調べてみました。

レーヴェントロウの肖像画

彼は名門貴族の家に生まれた御曹司で、19歳の時にドイツのライプチヒ大学に留学し、その後ドイツ・フランス・英国など当時のヨーロッパ最先端国を歴訪して、それらの国々の社会や経済の仕組みを学びました。帰国後、彼は官僚の道に進み、みるみるうちに出世して数多くの重要ポストに就くことになりますが、それと同時に、父親から受け継いだ広大な荘園の主として、農業経営にも携わることになります。

当時デンマーク農業の労働力であった小作人たちは、猫の額ほどの共有地は持っていたものの、荘園農地の耕作が常に最優先され、また土地を離れることが許されず、貧しく疲弊した生活を送っていました。彼は、このような状況では、生産性の高い農業は実現できないと気付き、自分の所領内でいくつかの改革を試みました。

その一つは、小作人に分け与えていた狭い農地を、各小作人が働きやすいように再区分したこと。そしてもう一つは、荘園内に小さな学校を設けて、小作人たちに読み書き算術を教えたことです。これらの個人的な試みが、小作人たちのモチベーションを高め、荘園農業の生産性向上に繋がったことを自ら体験した彼は、今度は、国の行政に携わる高級官僚の立場で、これを全国展開すれば、国全体の農業発展に役立つに違いないと考えたのです。他の官僚貴族の中にも先駆的な彼の考え方に同調する人たちが現れ、制度改革の準備や必要な法律づくりが始まりました。

このような革新的な動きに反対する荘園主や大臣たちも少なくありませんでしたが、当時政治の実権を握っていた皇太子（のちのフレデリック６世国王）の強力な後ろ盾を得て、１７８８年には農地改革法が施行され、小作人たちの土地帰属制度が撤廃され、それから数十年かけて農地解放が全国的に進みました。

レーヴェントロウは、こうして解放された農民たちが、荘園主から農地を購入しやすくするための有利なローン制度を作るなど数々の経済改革にも着手し、彼の政治行政能力が認められて、49歳の若さで首相に任命されました。

また彼が独自に実践していたもう一つの試みである「小作人たちへの教育」も、次第に他の地域へと広がり、1814年には教育改革法が施行され、ここに世界初の義務教育制度（男女を問わず誰もが7年間教育を受けられる権利）が誕生します。

こうしてデンマークでは、18世紀後半から19世紀前半にかけて、農地改革と教育改革を両輪とする大がかりな社会改革のうねりが起こり、小作人が自営農民へと徐々に変化していく過程の中で、農業生産性が高まり、新たな「国のかたち」が生まれる地盤らしきものが、少しずつ固まり始めたかに見えました。

しかし、このころのヨーロッパ大陸では、ナポレオン戦争（1792―1815年）をはじめとする数多くの戦争が次々と勃発し、混沌としていました。デンマークは、強力な通商相手国であったフランスからの圧力に押されてナポレオン軍に加担しましたが、これが原因でイギリスと戦うこととなり、1807年には首都コペンハーゲンが、イギリス海軍の大規模な攻撃を受けて火の海と化します。当時政治的実権を握っていたフレデリック皇太子は、はじめは革新的官僚貴族たちとともに国内の改革に力を尽くしましたが、次第に彼の関心は外需へと移り、戦争を繰り返してはことごとく敗北し、1813年、デンマークはとうとう国家倒産にまで追い詰められてしまいました。

国家存亡の危機に立たされたデンマークでしたが、その翌年には教育改革法が施行されて、義務教育が始まったのです。「敗戦後の復興活動は、まず教育から！」どうもこれが、デンマークの国づくりの基本であったように思われます。

⑵ デモクラシーの夜明け―1849年憲法制定

ナポレオン戦争終了後、フランスには一時王政復古期が訪れましたが、これに抵抗する市民たちが、1830年に7月革命を起こしました（自由の女神がフランス国旗を掲げて市民を先導する絵画で知られています）。この影響はヨーロッパ全土に及び、デンマークでも専制君主制に反対するリベラルな動きが知識層を中心に起こりました。

これを受けて、当時の官僚トップは、「身分制議会」（Stænderforsamlingerne）を全国4カ所に設置することを提案し、1834年に、当時の国王フレデリック6世が法律に署名して動き出します。身分制議会は、中世から近世にかけてヨーロッパに存在した国王の諮問機関ですが、その内容は、それぞれの国や時代で異なっていたようです。デンマークにも15世紀ごろから存在していましたが、ここで設置された身分制議会は、デンマークの民主憲法が生まれる一歩手前のプロセスとして、非常に重要な意味を持っていました。

身分制議会は、①荘園主（貴族）、②都市の土地所有者（有力者）と③土地所有農民の３グループで構成され、階層ごとの選挙で選出された立場の異なる代表たち（ほぼ同数）は、この場で政治論争を繰り広げることになります。ここで注目したいのは、デンマーク（＋スウェーデン）では、他国の身分制議会と異なり、一部の特権階級だけでなく、農民代表も参加していたことです。

国王の諮問機関として始まった身分制議会でしたが、次第に立憲制度への移行や、農民の権利拡大・自由平等を要求して、政府と真っ向から対立するようになります。さらに市民・農民集会や新聞や機関誌を媒体とする社会活動が活発化することも手伝って、幅広い市民層の政治的関心が高まり、人びとの意識は次第にデモクラシーの方向へと動いていきました。

１８４８年に王位に就いたフレデリック７世国王（１８０８―１８６３年、フレデリック６世国王の孫）は、このうねりに抵抗せず、即位と同時に専制君主制を廃止して立憲君主制国家への移行を認めたため、デンマークでは、一滴の血も流さずに立憲君主制に移行することができたのです。

憲法を制定するための国家集会（Den Grundlovgivende Rigsforsamling）を設置することが決まり、

さまざまな組織や団体が選挙プログラムと候補者リストを掲げ、デンマーク初の選挙運動がスタートしました。同年秋に実施された選挙では、「農民の友」(Bondevennernes Selskab)という団体が多数票を獲得したのですが、国王が指名する代表が議席の1／3を占めることになったため、農民支持派は過半数を獲得することができませんでした。ただ、農地改革法が施行されてからわずか60年ほどで、デンマークの農民が社会を動かす車輪に加わるまでに成長したことは、驚くべきことだと思います。ただそこには、彼らを支援し、自立へと導いた何人かの先見の目を持つ偉大な人物がいたことを忘れることはできません。それは、①農地改革を進めた荘園貴族・官僚のレーヴェントロウであり、②19世紀以降のデンマークの「国づくり」に絶大な影響を与えたグルントヴィーといった人たちでした。

国家集会では、憲法の条文内容が討議・検討されましたが、特に意見が大きく分かれたのは、選挙権を誰に与えるかという点でした。ようやく出された結論は、犯罪歴のない30歳以上の男性で、奉公人のいる世帯主に限り選挙権を与えるというもので、女性・奉公人・貧困者・障碍者・犯罪人・異邦人などは除外されました。つまり、多くの市民は、選挙権を獲得できなかったわけです。翌年1849年6月にようやく憲法が制定され、デンマークの議会政治がスタートしますが、当時は、フォルケティング(Folketinget、国民議会)とは別に、投票権が富裕層に限られ、国王が議員の一部を任命していたランズスティング(Landstinget、国家議会)の二院制が敷かれ、両院が同じ権限を持っていたので、民主憲法・民権政治とはいっても、まだかなり限定的であったといえるでしょう。

その後、デンマークでは何度か憲法が改正されますが、1915年におこなわれた改正で、ようやく女性をはじめとする一般市民が参政権を獲得することができました。そして1953年の憲法改正でランズティングが撤廃され、フォルケティングのみの179議席からなる一院制が敷かれ、今日に至っています。またこの憲法改正では、王位継承権が、男子から性別を問わず第一子に与えられることが決まりました。デモクラシーが熟成していくには、それなりの時間が必要だったのです。

(3) 戦争―復興―教育

●三年戦争とプロシア戦争

デンマークが憲法制定という重大な節目を迎えていたまさにそのとき、実はそれとほぼ同時進行で、三年戦争（Treårskrigen、1848―1850年）と呼ばれる内戦が勃発しました。当時デンマークは、デン

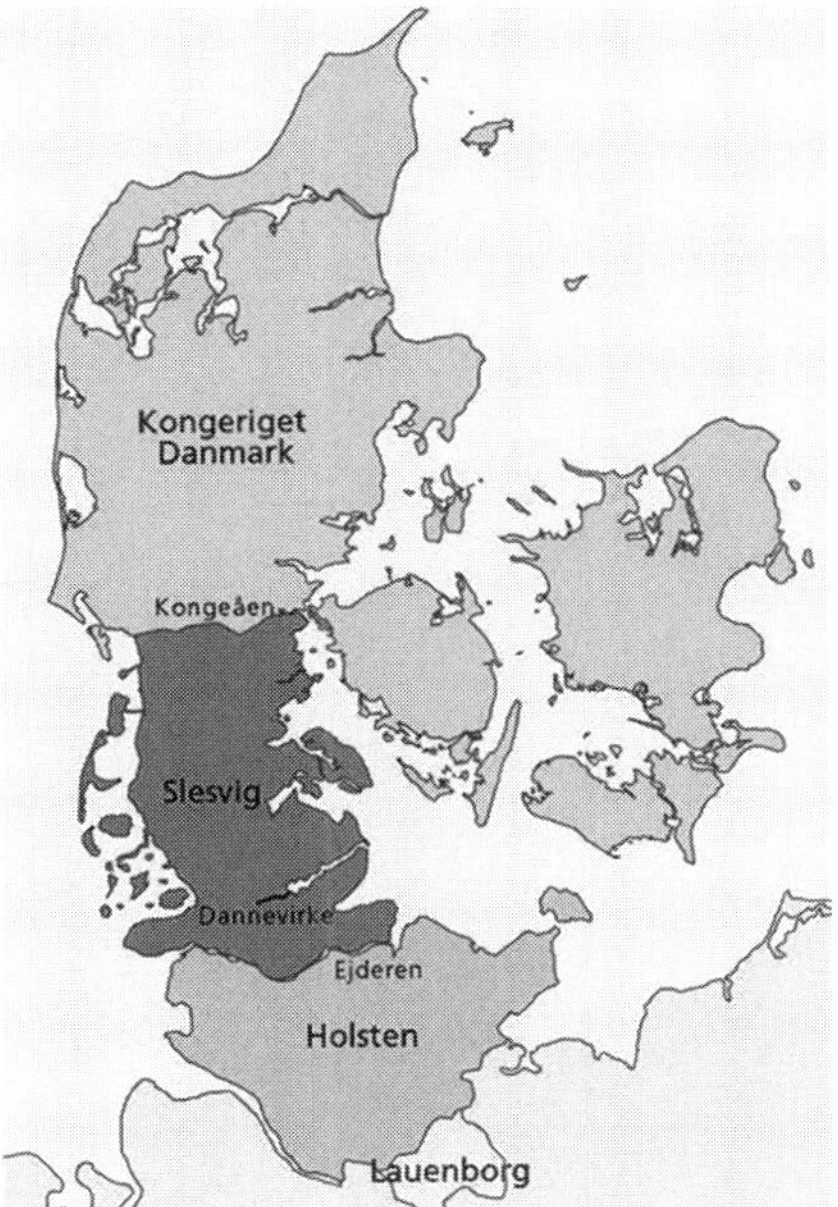

forlaget © columbus

当時の領土分割地図

マーク本土に加えて、ユトランド半島南部に位置するシュレースヴィヒ公国とホルシュタイン公国を、デンマーク国王が統治するという同君連合（Helstaten,Personal Union）の形態を有していました。そのためこの２つの公国は、「ドイツ」の領域内にあるデンマーク王領という特殊な地位にあり、またドイツ語圏でもあるので、当時この地域に住んでいた人びとの中には、デンマークよりむしろドイツへの帰属意識を強く持っていた人が多かっただろうと想像します。

19世紀半ばになると、デンマークには国民自由主義（National Liberalism）の考え方が強まり、国民国家（National State）を望む運動が起きます。２つの公国では、デンマークからの独立を望む声が高まりましたが、これを容認できなかったデンマークは、軍隊を派遣して、この動きをなんとか鎮圧することに成功します。しかしこの内戦は双方に多くの犠牲者を出し、特にホルシュタイン公国との間に生まれた深い溝は、その後埋まることはありませんでした。

そうこうするうちに、デンマーク本土では、これまでの同君連合形態をあきらめて、シュレースヴィヒ公国を含めた国民国家を作ろうという動きが起こります。これに強く反発したのが隣国プロシア（現在のドイツ）で、１８６４年、とうとうプロシア軍がデンマークに攻め入り、デンマークは他国の援助を全く受けられずに完敗し、２つの公国（ユトランド半島南部の豊かな農地で国土の約半分を占めていた）を失ってしまったのです。農業国として発展してきたデンマークにとり、この戦争は非常に大きな痛手でした。またしても訪れた国存亡の危機をいかに乗り越えるか。これも、デンマークにデモクラシーが根づく上での一つのターニングポイントとなったのです。

●ダルガスと開拓農民たち

まず「失った肥沃な農地に代わる新しい農地をどうやって生み出すか」ですが、この課題にいち早く挑戦したのは、軍人であり土木技師でもあったエンリコ・ダルガス（Enrico Dalgas、1828－1894年）という人でした。彼をリーダーとする官僚／荘園主グループが、敗戦2年後にデンマーク・ヒース協会（Det Danske Hedeselskab）を設立し、ユトランド北部のヒース茂る荒地の開拓事業に着手しました。彼は生涯ヒース協会の会長を務め、彼が持っていた防風林・用水路・土壌改善などの知識をフルに活用するとともに、都市部富裕層からの寄付金の調達や、国からの経済援助を取り付けるなど、開拓事業に必要な技術と資金繰りに奔走しました。ダルガスなくして開拓事業は進まなかったでしょう。しかし、厳しい環境の下、「外で失ったものは、内で取り戻せ。」

ヒース記念公園の石碑群

をモットーに、一致団結して辛抱強く荒地を開墾していった多くの農民たちがいたからこそ、この開拓事業は大きな成果を上げることができたのだと思います。

この偉業を後世に伝えるために意図的に残されたヒース記念公園（前頁の写真）が北ユトランドにありますが、ここには開拓作業に参加した女性や子どもを含む計１２００人にも及ぶ農民たち全員の名前と、開墾成果が地域ごとに刻まれた３００もの石碑が点在し、奥の広場には、ダルガスをはじめとする開拓事業貢献者たちの名前が刻まれた同じサイズの石が、大きな円を描くように置かれています。ここからは、「一人の英雄の偉業ではなく、関わった人全員が同等の立場でこれを成し遂げた。」という強いメッセージが伝わってきます。

●グルントヴィーと国民高等学校

牧師・詩人・教育者・政治家であったグルントヴィー（N.F.S.Grundtvig、１７８３—１８７２年）が、怒涛の時代であった19世紀にデンマークに輩出し、道しるべ的な存在として当時だけでなく今日に至るまで、デンマーク社会に大きな影響を与えたことは、すでに第一章で触れましたが、ここでもう一度、牧師として、政治家として、教育者として、彼が何を主張したかを整理してみたいと思います。

牧師としてのグルントヴィー

彼は、ルター（Martin Luther、１４８３—１５４６年）の宗教改革後にドイツはじめ北欧諸国に普及したプロテスタント派の牧師でしたが、意外にも、「宗教の自由」を強く主張し、神との信頼関係を保ちながら、同胞と協力して明るく生きることを人びとに諭《さと》しました。彼の教えは、チャレンジ精神を持ってものごとに立ち向かう力を人びとに与え、さらに当時のデンマーク社会を前へ前へと動かす力に繋がったといわれています。

政治家としてのグルントヴィー

彼は、憲法制定を目指した国家集会の一員であり、のちに国会議員にも選出された政治家でしたが、当初は、農民代表が政治に参加することに反論を唱えていました。それは、当時の農民は義務教育を受けたとはいえ、国の政《まつりごと》に加わるだけの市民レベルには、まだ達していないと判断したためです。

教育者としてのグルントヴィー

彼は、農民たちが市民（＝Folk）にまで成長するには、さらなる教育が必要だと考え、農業に従事する若者たちのための啓蒙教育の場として、国民高等学校（Folkehøjskole）を設置することを提唱しました。１８４４年の第一号を皮切りに、プロシア戦争に敗れてからは、全国の農村地域に次々と国民高等学校が開設されます。農閑期に集まった若者たちは、ここでデンマークの歴史や文学など教師―生徒の分け隔てなく、さらにデンマーク社会の現状、将来に向けての展望についても、教師―生徒の分け隔てなく「生きたことば」で語り合ったのです。

彼が提唱した「生きたことば」による「生きた教育」とは、人びとが日常使っているデンマーク語（母国語）を使い、また教科書のような書物からでなく、対話や討論を通じて人びとが互いに触発しながら学んでいくことを意味します。

グルントヴィーは、当時特定階級の若者たちが通っていた従来型教育機関「ラテン学校」（Latinskole）の教育について、「教師が教壇に立って一方的に教科書に沿った授業をするのは、『死の教育』だ。」とまで表現し、批判しました。

彼は、国民高等学校に、「市民（Folk）が自分らしい人生を生き抜き、授かった職業分野で実力を発揮し、また社会人としての役割を十分果たせるようになるための学び舎になってほしい。」という夢を託したのだと思います。

さらにこのころ、グルントヴィーの教育論を基盤とする農業学校（Landboskole）も各地に開設され、若者たちは、自

当時の国民高等学校での対話風景

律農民、考える農民、市民へと成長していきました。

「敗戦からの復興活動は、まず教育から！」が、ここでまた実行されたのです。

⑷ 経済危機そして農民の組織化

国民高等学校で「下からの光」に触発され、自由・信頼・連携のたいせつさを学び、考える力を養った若き農民たちは、その後どうなったでしょうか。

自分たちの地域に戻った彼らは、各自がばらばらに農業を営んでいては先に進めないと考えて、地域農民がさまざまな分野で協力するための組織作りに取り組みます。こうしてデンマークに農業協同組合が生まれたのです。そして、農家の規模大小にかかわらず、常に「一人一票」を基本とする決定プロセスが取られました。自営農業を基本としながらも、皆が連携することで、デンマークの農業生産性が一段と高まったことは、疑う余地もありません。

しかし1870年代に入ると、アメリカやロシアにおける小麦生産が大幅に拡大し、さらに欧米の運輸機関が発達したこともあって、小麦の市場価格が大幅に下落しました。これは、小麦生産とその輸出に頼っていたデンマーク経済にとり、大きな打撃です。「いずれ、以前の状態に戻るだろう。」と一時は楽観視していたものの、1880年代になっても状況が改善されなかったため、デンマークの農民たちは、従来の小麦生産に代わる別の道を模索しました。そこで目を付けたのが、近隣の経済大国イギリスの人びとの食生活でした。「イギリス人は毎朝ベーコンを食べ、バターの消費量も多い。良い品質のベーコンとバターを生産して、英国に輸出したらどうか。」これが、彼らの出した答えでした。そしてこれを実現すべく、デンマーク農業は、驚くべきスピード感を持って、酪農と養豚へと舵取りを変更していきます。

酪農家たちは、生牛乳からバターやチーズを作るために、酪農工場を共同出資して建て、バター製造に必要な攪拌機《かくはんき》も開発しました。さらに工場運営にたずさわる人材を集め、原料収集から製品輸出までのルートも整備していきました。またこれと同じように、養豚農家たちは、精肉工場を作り、養豚―枝肉・加工肉ベーコン生産―販売輸出までの一貫した流れを構築していきました。これにより、デンマーク経済は危機を脱し、新たな発展を遂げることになります。これらの変革は、もちろん農民だけの力で一夜にして実現したわけではありませんが、農民が得た〈自由〉と受けた〈教育〉と培った〈連帯精神〉が、その原動力であったことは間違いありません。19世紀はまさに、農民の世紀だったといえるでしょう。そして他の欧米諸国では工業分野で産業革命が起こったのに対し、デンマークでは、攪拌機開発に見られるように、農業分野で起きたことも注目に値します。デンマークの酪農加工品や畜産加工品は、現在でも世界中の国々に輸出され、その品質が高く評価されています。

⑸ 経済発展の陰で生まれた新たな問題

効率的な農業生産は、国全体の経済発展をもたらしましたが、反面、新たな問題も生みました。それは、急激な人口増加で、農業従事者の数に見合うだけの農地が不足したことです。農地を持つことが叶わなかった人たちは、都会へ移住し、工場などで労働者として働くようになりましたが、彼らは失業への不安を常に抱え、低賃金労働の苦しい生活を強いられました。当時このような生活苦から逃れ、夢を求めてアメリカに移住した若者も少なくありませんでした。１９３０年までの百年間に、約34万人が移住したといわれています。

当時の町労働者の平均労働時間は一日12時間と長く、無給休暇はせいぜい年間３日程度。低賃金のために、例えばコーヒーを一キログラム買うためには、８時間半働く必要があったといわれています。また貧しさゆえに、女工として働く女性も多く、女中奉公に出された若年女性も少なくなかったようです。

ただ彼らは、故郷で展開されていた農業協同組合の動きを知っていたわけで、「自分たちも同じように結束して、労働条件を改善していこう。」という気運が高まりました。と同時に、当時ヨーロッパに広まっていた社会主義運動にも強く刺激されて、労働組合が次々に結成され、労働運動が始まります。しかし彼らの要求を素直に呑む雇用者はおらず、1899年には労働者と雇用者の対立が深まり、大規模なストライキとそれに対抗するロックアウトが勃発します。

この闘争は、双方の代表が同席して互いに言い分を出し合い、話し合いの中から妥協線を見つけて約束を交わす、といういわゆる「労使協定」により、ようやく終結に至りました。これが、デンマークにおける労使協定のはじまりで、「労働市場のことは、政府の介入を受けずに、労使協定で決める。」という基本的な考え方と伝統は、百年以上経過した今日まで、ずっと続いています。しかし、労働者たちが力を蓄えて、デンマークの政治を動かすまでに成長し、本格的に活躍するようになるのは、20世紀の扉が開いてからになります。

二. 近代デモクラシーの流れ（20世紀のデンマーク）

(1) 議院内閣制（Parliamentarism）を求めて

デンマークは、1849年に憲法が制定されたことでデモクラシーの夜明けを迎えましたが、この憲法では、国王に大臣の任命・解任権を認めたり、二院制の一つであるランスティング（国家議会）の一部議員を任命する権利を与えたりするなど、国王の政治的権限が未だに保持されていて、完全な民主・民権憲法とはいい難いものでした。

そのため国の政治は、憲法の解釈を巡り、議院内閣制を望む左派と、国王が政府を自由に選ぶ権利を保持することを望む右派とに真っ二つに分断されました。農民たちが組織した政党である自由党(Venstre)が、フォルケティング(国民議会)選挙で過半数を獲得して組閣を要求しましたが、それが右派からの妨害で叶わない状態が長く続きます。そのため左派は、右派政府から提出される法案をことごとく却下するなどして反発したため、19世紀後半のデンマーク政治システムは、事実上、マヒ状態に陥ってしまいました。

この長年にわたる争いは、左派が選挙で議席の過半数を獲得し続け、また粘り強く議院内閣制の導入を訴え続けたことで、右派勢力が疲弊し、争いを継続することを断念したため、1901年にようやく終止符が打たれることになりました。そしてここに、はじめて、自由党による政権が成立し、デモクラシーに基づく議院内閣制がスタートしたのです。デンマークでは、これを「システム変革」(Systemskiftet)と呼んでおり、「民主主義政治は、実はここから始まった。」と捉えているようです。

そして1915年におこなわれた憲法改正では、ランスティングにおいてもフォルケティング同様、すべての議員が選挙によって選出されることになりました。ただし、選挙権は、前者が35歳以上の市民、後者が25歳以上の市民とされました。またこの憲法改正により、女性をはじめとするすべての市民に選挙権が与えられたことは、すでにお話しした通りです（37ページ参照）。

議院内閣制（Parliamentarism）は、議会と政府との関係からみた政治システムの分類の一つで、議会制民主主義の発祥国イギリスで生まれた政治制度です。このシステムには、ポジティブ（内閣は、議会の過半数を必要とする）とネガティブ（内閣は、議会の過半数の反対があっては存続できない）2つのタイプがありますが、1901年に導入され今日まで続いているデンマークの議院内閣制は、イギリスと同じネガティブタイプに属しています。このタイプでは、たとえ議会の過半数を獲得していなくても内閣は成立可能ですが、もし過半数が内閣に反対（不信任案提出）した場合は、内閣は存続できなくなります。そのためデンマークでは、過半数に満たない議席の政党が、単独または連立内閣を作ることが、今でもしばしばおこなわれているのです。

⑵ デンマークが選んだ国境問題解決の道

20世紀初頭のヨーロッパは、第一次世界大戦（1914—1918年）により大混乱に陥っていましたが、デンマークはあくまで中立を保ち、この戦争に参加することはありませんでした。しかしヨーロッパから世界へと波及したこの大戦は、デンマークの政治・経済に多大な影響を与えたことは、いうまでもありません。当時デンマークには、農民が組織した自由党（Venstre）や、労働者が組織した社会民主党（Socialdemokratiet）をはじめとするいくつかの政党が議会政治を担っていましたが、どの政党も、極力深刻な政治論争や政治不安を招かずに、協調路線を保とうと努力していました。

世界大戦は、1918年に同盟国（ドイツ、オーストリア、オスマントルコ、ブルガリア）が連合国（イギリス、フランス、ロシア、イタリアなど）に敗れて幕を閉じましたが、これを機に、デンマークと敗戦国であるドイツの国境問題が、再び討議されることになりました。デンマークは、1864年のプロシア戦争に敗れて、ホルシュタイン公国とシュレースヴィヒ公国をドイツに明け渡し、豊かな農地を失ったという過去の苦い歴史があります。ここで国境線の見直しをすることは、デンマークにとっては、まさに「棚からぼた餅」でした。

もし国をあげて、以前失った2つの地域を取り戻すことを要求したならば、その要求が受け入れられた可能性は大きかったでしょう。けれど当時のデンマーク政府は、敢えてそれをせず、シュレースヴィヒ地域のみで国民投票をおこない、この地域の住民に、デンマークへの帰属を望むか、ドイツへの帰属を望むかを問いました。その結果、北部地域の住民はデンマークに、南部地域の住民はドイツに帰属することを望むという答えが出て、政府は住民たちの想いを尊重することにしたのです。今なおデンマークの国境沿いの町には、ドイツ系住民のためのドイツの学校や教会があり、またドイツ側の国境沿いの町にも、デンマーク系住民のためのデンマークの学校や教会があり、さらにデンマーク語を話す住民たちが結成した政党まで存在しています。世界各地で国境紛争が絶えない中、第一次世界大戦後に取られたデンマークとドイツの国境解決への道は、世界に類を見ない平和的解決策として、国際外交史の中で高く評価されています。

ただ大戦直後、シュレースヴィヒ全地域を取り戻すべきだと考えたクリスチャン10世国王（1870—1947年）は、政府の方針に激しく反発して首相の更迭を迫り、事実、首相は辞任してしまいます。これは、議院内閣制を敷いて民権国家となったはずのデンマークで、すんなり受け入れられることではありません。当時コペンハーゲン市議であった社会民主党のトーヴァル・スタウニング（Thorvald Stauning、1873—1942年）は、国王のふるまいに激怒した多くの労働者・知識人・一般市民を結集して、大規模なデモを組織し、国王に反旗をひるがえしたのです。彼は国王に直々会って、国王が過ちを認めなければ、国民はクーデターを起こすだろうと迫りました。彼の力強い訴えと説得力が功を奏し、国王が自らの非を認めたため、この一件は大事に至らずに済みました。時は1920年4月の復活祭のころ。そのため、この事件は「イースター危機」(Påskekrisen)と呼ばれ、デンマークのデモクラシーが試された出来事として、後世に語り継がれています。なおこれを機に、デンマークでは、国王/女王は政治舞台における儀礼的行為は保持しつつも、政治的権限を一切持たない「国の象徴」と見なされることとなり、これが今日まで継続されています。

(3) 労働運動―社会民主党―福祉国家

●労働者の政党誕生

デンマークの歴史を過去200年あまり振り返ってみると、19世紀は、農民が成長し、「国のかたち」の基盤づくりに貢献した時代、そして続く20世紀は、労働者が力を蓄え、政治舞台に登場し、現在の「国のかたち」を構築するために動いた時代だったといえるでしょう。

農村地域から都市へ移り労働者となった人びとは、すでに19世紀後半には労働組合を組織して労働運動をスタートさせ、1871年には、労働者による労働者のための政党「社会民主党」

(Socialdemokratiet）を設立しました。当時ヨーロッパでは、さまざまなタイプの社会主義が勢いを持ち、既存社会を革命で変えようとする傾向が色濃く、デンマークでもこの傾向は、政党設立当初見られました。しかし暫くすると、デンマークの労働者たちは、「社会を革命で変える」のではなく、「社会を話し合いで変えていく」戦法へとシフトしました。その結果、１８９９年に雇用者と労働者が激しく対立して大規模なストライキやロックアウトが発生した際、双方はあくまでも話し合いで解決する方法を選んだのです。これがデンマーク初の労使協定でした。（46ページ参照）

その後労働組合と社会民主党は、それぞれ独立しつつも、車の両輪のように連携して、労働者の地位向上のために、金融・住宅・消費協同組織を立ち上げて労働者を支援し、積極的に啓蒙教育をおこなってメンバーを増やしていきました。19世紀にグルントヴィーが提唱した啓蒙教育（国民高等学校）で農民層の意識が向上したように、20世紀の労働者は、自ら起こした啓蒙教育活動を通じて、労働者層の意識向上を図ったのです。

●トーヴァル・スタウニングが成し遂げたことは……

１９２０年に起きたイースター危機（Påskekrisen、51ページ参照）で一躍脚光を浴びた政治家トーヴァル・スタウニング（Thorvald Stauning、１８７３―１９４２年）は、20世紀のデンマーク社会とデモクラシーの発展に多大な貢献を残した人物でもあります。彼は、１８７３年にコペンハーゲンの貧しい労働者階級の家に生まれましたが、両親が可能な限りの教育を息子に与えたため、葉巻選別職人の資格を取ると同時に、若くして社会民主党の労働運動に積極的に参加し、組合委員長や党本部での仕事に携わり、33歳で国会議員に選出されました。彼は国会議員であると同時にコペンハーゲンの市議も12年間勤め、この時期にイースター危機が起きたわけです。そして37歳で党首となり、1924年の選挙で大きく躍進した社会民主党がはじめて少数党政府（Minority Government）を結成したとき、51歳で首相となりました。

スタウニング首相

世界的経済危機や政治不安が色濃かった2つの世界大戦中間期に、デンマーク社会がほぼ安定して発展することができたのは、スタウニング首相率いる社会民主党が、思い切った経済・社会改革に取り組んだからだといわれています。

彼は、社会保障や雇用政策に力を注ぎ、社会経済への国の影響力強化や、負債を抱えた農家への支援などにも取り組みました。自由主義経済を主張する野党は、この大胆な社会制度改革にかなり反発しましたが、彼はこれを話し合いで解決する道を選び、1933年1月、首相は自宅に党首たちを招いて協議をおこない、食後に出されたウイスキーを飲んだころ、ようやく合意に達して、政治協定が成立したと伝えられています。この歴史的政治協定は、首相の居住地区の名前を取って、「カンスラーゲーデ協定」(Kanslergadeforliget)と呼ばれています。デンマークのデモクラシーの特徴の一つである「対話による解決」は、こうして政治舞台でも実行され、以後、協力民主主義（Cooperating Democracy）が育っていくことになります。また同時期には社会制度改革法が成立し、ここに労働者だけでなく、国民全体を対象にしたデンマーク社会福祉国家の基盤が形成されました。

そうこうするうち、第二次世界大戦が勃発します（１９３９年）。デンマークは、ドイツと不可侵条約を結び、中立を宣言したにもかかわらず、１９４０年4月、ヒットラー率いるナチスドイツ軍が突如侵入し、デンマークは以後5年間、占領下に置かれます。スタウニング政府とクリスチャン10世国王は、無用な流血を避け、国の存続を死守するために、占領軍との協調政策の道を選びました。こうしてデンマークは、占領当初、政治的独立を保持し、独自の陸海軍や警察も保持できたのです。(その後、国内でドイツ軍に対するレジスタンス運動が起こり、占領軍の締め付けが強化されていきます。)

ナチス侵攻から2年後、スタウニングはデンマークの独立を待たずして69歳で逝去しました。彼が目指した社会福祉国家の構想は、大戦終結後、１９５０~１９７０年代の社会民主党連立内閣が、彼の遺志を継いで実現することになりますが、より豊かで、より民主的で、より平等な社会をコンセンサスの政治で築いていくデンマークの伝統は、どうやらスタウニングが生み出したものであったようです。

⑷ ハル・コックが提唱した「デモクラシー」とは？

デンマークの近代デモクラシーを理解する上で欠かせない人物に、コペンハーゲン大学の神学教授で教会史専門家であったハル・コック（Hal Koch、１９０４―１９６３年）という人がいます。

まず彼の言葉の中で、デンマークのデモクラシーを最も明確に表現し、また私たちが、この本を書こうと思い立った動機づけにもなった名句を紹介します（次ページ）。

大学で講演するハル・コック

勝ち負けを決めるのに、さまざまな武器を用いることができる。
古代ギリシャでは、剣や槍で戦った。
近代の権力相互の戦争は、戦車や飛行機で戦った。
いなか町では、噂や中傷で戦われる。
「教区評議会」での戦いは、投票によっておこなわれる。
しかし投票は、平和的だが、民主主義ではない。
民主主義の本質は、投票によって規定されるのではなく、
対話や協議、相互の尊敬と理解、そしてここから生まれる
全体利益に対する感覚によって規定される

（出典『生活形式の民主主義』花伝社、小池直人訳）

第二次世界大戦が勃発した翌年の1940年、まさにデンマークがナチスドイツ軍に占領された年、彼は勤務先の大学で、グルントヴィーに関する公開講座を何回にもわたって開催し、学生以外にも多くの市民がこれを聴講して、好評を博しました。そして同年、彼は、新設されたデンマーク青年協会(Dansk Ungdoms Samvirke、デンマークに当時存在していた多くの青年組織や政党青年部の統括組織)の初代会長に選ばれました。ただこの青年協会の会長を引き受けるにあたり、協会の定款に掲げられていた「非政治的組織である」という文言は「容認できない。」と反論し、その逆である「政治的組織」

であるべきだと主張したのです。結局ハル・コックの意見が認められ、青年協会は、デンマークの若者たちのための「政治的組織」としてスタートすることになりました。

これらのエピソードが一体何を意味するのか、私たちにはなかなか理解できませんでしたが、彼に関する著書や資料を調べていくうちに、彼の言動が、それまでデンマークが築いてきた「国のかたち」をナチスドイツ占領下にあっても守り抜く上で、非常に重要な意味を持つことがわかりました。それは、①啓蒙教育によって育まれる民衆的国民（Folk）が、社会の基盤であるというグルントヴィーの思想を、決して忘れてはいけないというメッセージ、そしてもう一つは、②デンマークの一般人びと（特に若者たち）が、民衆的国民として自立し、政治的に覚醒し、さまざまな問題を暴力や戦争によってではなく、対等平等な話し合いで解決・決定できる共同市民性（Medborgerskab、Active Citizenship）を目指してほしい、というメッセージだったのです。

権威主義国家では、決定がなされると反対意見は沈黙する。
しかし民主主義社会では、あらゆる決定が相対的で、
正しいことがらへの接近にすぎず、
それゆえに、討議は止むことがない。

（出典『生活形式の民主主義』小池直人訳）

彼は、ナチスへの平和的抵抗を占領下で試みたわけですが、占領軍と政府の協調政策が破綻し、政府が解散した1943年に、彼は他の著名人とともに占領軍に拘束され、収容所に送られました。

1945年、チャーチル率いる連合軍が勝利したことで、デンマークは再び独立を勝ち取ることが出来ました。そしてこの年、早くもハル・コックは、戦争の起きない平和で豊かな社会を構築するために、人びとはデモクラシーをどう理解し、いかに社会活動に参画すべきかを全国民に問う目的で、『デモクラシーとは何か？（Hvad er Demokrati?）』という本を出版しました。また翌年1946年には、若者たちの政治的・民主的覚醒を願って、クローロップ国民高等学校（Krogerup Højeskole）の校長に就任し、以後長年にわたり、青年たちの啓蒙教育に情熱を注ぎました。

彼が示したデモクラシーの考え方は、戦後社会福祉国家の実現を目指した政府に絶大な影響を与えたと同時に、5年間ナチス占領下でじっと耐えてきたデンマーク国民に、「積極的に連携して、皆で豊かな社会を作ろう。」という明るい希望の火を灯したという点でも、大きな意味を持ったように思われます。

民主主義は、完成されるべきシステムでも教理でもない。
それは自分のものにすべきひとつの生活様式だ。

（出典『生活形式の民主主義』小池直人訳）

三．現代のはたらく人たちのデモクラシー

⑴ 男女皆がはたらく社会

デンマークに長年暮らしていて常々思うことは、デンマークの女性が仕事面でもプライベート面でも自立し、力強く、イキイキしていることです。「なぜこうなるのだろう？」という問いかけから、私たちは、２０２０年6月に『デンマークの女性が輝いているわけ』（大月書店）を出版しました。本著の中で、デンマークの女性たちの現状や、それを支えるさまざまな社会システム、さらにこれまで歩んできた歴史等について詳しく解き明かしているので、ここでは要点のみに留めます。

19世紀、まずデンマークの農民たちが市民として覚醒して農業協同組合を組織し、後半になって労働者が労働組合を組織しましたが、実はこの流れの中で、女性たちも、１８７１年にデンマーク女性連盟（Danske Kvindesamfunde）という全国組織を結成し、以後結束して女性たちの地位向上のために、積極的に動きました。１９１５年の女性参政権獲得も、その成果の一つであったわけです。

第二次世界大戦終結により、デンマークはナチスドイツから解放されますが、大半の国民が占領下にじっと我慢して耐えていたことで、幸い、国土の焼失や多数の戦死者を出すことを免れました。そのため、デンマークは、直ちに経済活動を再開することができ、戦後の好景気を迎えます。当時はまだ「男性が外ではたらき、女性は家を守る」パターンがデンマークでも一般的でしたが、男性だけでは経済活動が追いつかず、深刻な労働者不足となります。この問題を解決するため、政府は海外から労働移民を積極的に受け入れましたが、それよりも何よりも、女性の社会進出を促したのです。

ただ女性の社会進出を可能にするには、これまで女性が主に家庭内でおこなってきた育児や高齢者の世話の負担軽減が、必須の重要課題でした。19世紀当初から社会民主党が中心となって目指してきた社会福祉国家政策が、この社会的ニーズとここでぴったりマッチしたわけです。国は、医療・福祉・教育など人びとの暮らしに欠かせないサービスを公共サービスとして税金でまかない、それを実践するのにふさわしいサイ

はたらく介護職の女性たち

ズの地方自治体整備をおこないました（１９７０年の地方自治体改革、Kommunalreformen）。自治体は、国が定める法律の枠組みの中で自律し、かなり自由なイニシアティブを打ち出して、地域に似合う公共サービスを展開していきます。このような国と自治体の絶妙なバランスは、デンマーク社会に、時代の変化に柔軟に対応できるダイナミックさをもたらしているように思えます。

１９６０年には、労働市場に占める女性の割合は約１／４程度でしたが、１９６７年には１／３を占めるようになり、その後は着実に比率が伸びて、１９９０年以降は、男女ほぼ同比率となり、今日まで続いています（２０２２年、男性52・6％、女性47・4％）。社会進出した女性の多くに、公共サービスの医療・福祉・教育分野ではたらく傾向が見られ、医療・福祉分野における女性の割合は約85％、教育分野では60％を占めています。１９５０年には、シニアを除く成人女性の約60％が専業主婦または家庭内労働者でしたが、これらのカテゴリーは、現在デンマークの統計から姿を消しました。

給与や家事負担率、さらに各界リーダー層の女性比率などで未だに男女差が見られ、完全な平等社会といえるまでには至っていませんが、女性の社会的地位は、過去半世紀で大幅に向上し、活躍の場も広がり、この傾向は今後も続くと考えられています。その背景には、女性の組織化による粘り強い社会運動、高い就学率、政治参画（現在国会議員の４割が女性）、そして何にも増して、女性自身の自立と強い意欲があり、それを国・行政・労働市場そして男性たちが支援協力する姿があります。

戦前戦中派の女性たちが女性の権利獲得のためにたたかい、戦後派の女性たちが男女平等を強く意識してはたらき、そして現在就労年齢にある女性たちは、男女ともにはたらくことを当たり前ととらえて実践しています。男女皆がはたらく社会は、こうして作られたのです。

⑵ オイルショック―長引く不況をどう乗り越えるか

読者の皆さんの中には、20世紀後半に2度にわたって起きたオイルショック（Oil Crisis、一回目1973年と二回目1980年）を覚えている方もおられると思います。どちらも中東における戦争や紛争により、中東原油生産国が生産を大幅に削減したことで原油価格が異常に高騰し、当時エネルギー源を石油の輸入に頼っていた世界中の多くの国々が、経済不況に陥りました。

石油輸入国日本は、オイルショックの影響をもろに受けて、戦後の高度経済成長期が終わりを告げ、一時不況に陥りましたが、その後、他の欧米諸国よりいち早く不況から脱出して、バブル景気に突入しました（1986―1991年）。しかしデンマークは、それ以前から国際収支の大幅赤字を抱え、経済状況が悪化していたところに、オイルショックが到来したため、生産や消費が落ち込み、金利や失業率が上がり、経済面だけでなく、社会的にも極めて深刻な状況に陥りました。（当時デンマークは、エネルギー消費の9割を輸入石油に依存していた。)

オイルショックをデンマークにきて経験した私たちは、多くの若者たちが卒業しても就職できず、社会人としての人生を失業と借金生活からスタートするケースや、夫が勤務していた会社が倒産して失業したために、妻が生計を担うことになったケースや、そのような家庭事情が原因で、夫婦仲が悪くなり離婚したケースなどを身近に見聞きしていました。ようやく手に入れたマイホームの利息が約10%、学費ローンの返済利息が約18%と目が飛び出るほど高く、特に新社会人にとっては、非常に厳しい時代でした。

トンネルの先に光が見えない時代が10年以上続いた1985年に開かれた労使協定で、公共・民間両部門の労働者は、こぞって6%の賃金値上げと、週労働時間を35時間に短縮することを要求しました(当時の週労働時間は40時間)。これを雇用者側が受け入れなかったため、大規模なゼネラルストライキが勃発。雇用者側はこれにロックアウトで抵抗しました。当時の保守党連立内閣は、問題解決を図るため、賃金値上げ幅2%+労働時間1時間短縮という条件を出して介入しましたが、雇用者側に有利なこの条件を労働者側は受け入れず、再度大掛かりなストライキを起こし、社会はマヒ状態と化しました。

結果として、労働者側が屈して紛争が終結しましたが、それ以降の労使協定では、雇用者側が労働者の主張により耳を傾け、労使ともに、労働市場立て直しのためにはどうすれば良いかを模索することとなり、徐々にデンマークの労働市場に明るい兆しが見えてきました。１９９０年には週労働時間が37時間に短縮され、実質賃金も上昇。それと同時に、仕事の合理化と生産の効率化が求められ、また労働条件だけでなく、はたらく人たちの労働環境改善の動きも始まります。デンマークの労使協定は、今もなお、「労働市場の問題は、政府の介入なく、あくまでも労使双方で解決すべき」をモットーに、「対話によって、お互いにウィン・ウィン関係を築く努力」をすることを目指しています。ただこれが成功するかしないかは、別問題ですが。

(3) 企業の理想は、二日目のスパゲッティ

デンマーク産業の特徴は、「すきま産業」だとよくいわれます。それは、高度な技術と経済力を持つ大国ならやろうと思えばできるが、特殊分野で採算が合わないから手を出さない、そんな分野に敢えてチャレンジする企業が、デンマークにはかなり多く存在しており、国際的には決して大企業といえない規模の会社でも、優れたノウハウと技術により、国際市場で大きなシェアを占めて活躍していることを意味します。

そんな企業の一つに、補聴器メーカーのオーティコン社（Oticon A/S、1904年設立）があります。「製品を販売するのではなく、難聴に悩む人々に〝聞こえ〟を提供する。」という社会的責任を重んじる会社のポリシーが高く評価されていますが、それにも増して、1988年から10年間社長を務めたラース・コリン（Lars Kolind、経営者・起業家、1947年生まれ）が実践した大胆な企業改革が、当時大きな反響を呼んで、デンマーク的企業モデルとまでいわれました。

まず彼は、ハード面の改革を次々におこないました。その中でも特に注目されたことを挙げると、

●会社には個室は一つもなく、広いフロアのみで、各スタッフが所持しているのは、パソコンと小さな物入れだけ。

●フロアにあるすべてのデスクは、自由に移動できるキャスター付きタイプで、新たなプロジェクトが立ち上がるたびに、担当スタッフが各部署から自分の所持品を持って集まり、このデスクを動かしてチームを編成します。

●流動的な仕事形式なので、タイムカードは存在せず、仕事はあくまでも自己管理。

●外部からの郵便物や書類などは、社内の仕分けコーナーでまずスキャンしてから、必要なスタッフにデジタル配信され、ペーパーはシュレッダーにかけられたのちに、オフィス中央に配置さ

れた透明の円柱に投入されます。破棄されたペーパーが時折円柱の中を落下する様子を、誰もが見てとれる仕組みです。

個室が一つもないということは、社長室も存在しないわけで、社長は毎朝出勤すると、どこか空いている椅子に腰かけて仕事をするのだそうです。

コリン氏がここで目指したことは、開放的で、フラットで、しかもアメーバーのように常に動いて形を変化させていくダイナミックな組織づくりであり、個々の社員の創造力とグループとしての協調性を重視し、スタッフが快適にはたらけるよう、ヒューマンケアと労働環境を整えたことだったと思います。そして未来の企業は、仕事の効率向上のためにも、ペーパーレス・デジタル化を促進すべきだというメッセージを、「見える化」で示したかったのだと思います。

あるメディアのインタビューで、「どんな人材を求めているか」と問われたとき、彼は、「わが社がほしい人材は、学校の成績より、人の意見によく耳を傾け、かつ自分が持っている考えやアイデアを積極的に発信してくれる人です。」と答えました。また「理想的な企業とは、どんな企業だと思うか」という問いに対して、彼は、「私が目指しているのは、二日目のスパゲッティのような企業ですね。残ったスパゲッティを冷蔵庫で保管しておくと、ぐちゃぐちゃに絡まって、くっついてしまいますよね。社員の気持ちがそんな状態になっているのが、理想的ではないかな。」と答えました。

あれから30年以上経過した今、デンマークの企業や組織の規模・形状・ポリシーはそれぞれ異なるものの、コリン氏がオーティコン社でおこなった多くの実験的な試みは、決して珍しいことではなくなり、多くの企業で実践されているように感じます。

現在のデンマーク労働市場では、次のようなことがすでに当たり前になっています。

- ペーパーレスが急速に進み、企業は勿論のこと、デジタル社会が構築された。
- それにより、ほぼすべてのオフィスワークがオンライン化され、自宅でのオンラインワークが普及した。
- 社員の評価は、何時間勤務したかで判断するのではなく、課題をいかにクリアできたかで判断すべきで、仕事に対する姿勢や勤務時間などは、あくまで自己管理に委ねられている。
- 日本で最近よくいわれる「ワークライフバランス」は、すでに30年以上前に労使協定で話し合われて実践されてきたが、ここにきてオンラインワークが普及したことで、共働き夫婦世帯が、時間調整しやすくなった。

それゆえでしょうか、デンマークでは、近ごろ出生率が伸びる傾向が見られます（2021年合計特殊出生率：デンマーク1・72、日本1・30）。それから仕事の自己管理ですが、これは個人の自立と、組織内での信頼関係があってはじめて可能になると思います。デンマークが150年以上の歳月をかけて培ってきたデモクラシーは、この国の労働市場においても、脈々と流れていると感じています。

第三章

デンマークの「人のかたち」

――こうやってデモクラシーは育つ

教室内の授業風景（グループワーク）

一．幼年期にめばえるデモクラシー

(1) デモクラシーのめばえ

デンマークでは、「自分でものごとを考え、決めることができる自立した人間」になることが、人間形成の過程で最も重要であると考えられています。18歳で成人になってはじめて「さあ、大人としての自立心をこれから養おう。」と志を持つのでは、遅すぎます。デンマークでは、学校に入学する以前から、すでにこのプロセスが始まっており、家庭や保育園での日常生活の中で、幼児は幼児なりに、ものごとを自分で見分ける方法を学び、自分で決める力を養います。

デンマークは、世界的にも男女共同参画が進んでおり、女性の就労率は約76％（2019年ILO統計）と高く、女性たちは、結婚や出産という人生の大きな節目があっても、そこで退職することなく、65歳前後または国民年金が受給される67歳ぐらいまで仕事を続けます。子どもが生まれると、母親だけでなく、父親にも計13週間ほどの育児休暇があるため、乳児は一歳前後までは親とともに家庭で過ごします。このころになると、大半の親は、市が提供する保育施設*に子どもを預けて、職場に復帰します。乳児保育サービスを利用し始める平均年齢は、生後10・7カ月（2018年社会省）とのことです。

*保育施設：①0〜3歳児対象の乳児保育園、②3〜5／6歳児対象の幼児保育園、③0〜5／6歳児対象の統合保育園に分類され、現在新設可能なのは③のみで、これが主流。全国98ある自治体が管轄している。

また3〜6歳児の場合だと、「パパとママはお仕事、私は保育園」というケースがごく一般的で、子どもたちの96％（2020年デンマーク統計局）が、親がはたらいている時間帯は保育園で過ごしています。一人の子どもの保育園利用時間は、平均7時間半といわれており、平日起きている時間の約半分は保育園にいることになり、まさに家庭と保育園が同じ比率で、子どもの成長にかかわっていることになります。

そのためデンマークでは、幼児を持つ親だけでなく、社会全体が、保育園に強い関心を抱いており、その役割や品質が、国会はじめ社会のいたるところで、常に議論されています。

保育園に子どもを預けて出勤するママ

そしてデンマークの保育に関する法律「デイサービス法　第7条、4章」には、「デイケア（乳幼児保育）は、決定に参加することの意義や共同責任の重要性を子どもたちに学ばせ、デモクラシーを理解し、またそれを経験する機会を与える場でなければならない。さらにデイケアは、子どもたちの自立心を伸ばし、社会の中で連携・結束する力を伸ばすことに貢献しなければならない。」と書かれています。この法律を全国のデイケアで実践するにあたり、児童・教育省（Børne-og undervisningsministeriet）は、「子ども目線でのデモクラシーと決定への参加」というガイドラインを作成し、具体的な方策を示しています。

●決定に参加するということ

デイサービス法には、幼いころから「決定に参加する」ことが重要だと明記されていますが、私たちがデンマークで子育てをして、また孫の成長にも関わっていると、これは法律上だけの文言ではなく、人びとの生活姿勢にすでに広く浸透し、いわば人育て文化のように見えてきました。

私たち大人は、往々にして、「これが一番良いことだから」と勝手に思い込み、子どもの意見を聞かずにものごとを進めてしまいがちです。これでは、子どもが決定に参加するどころか、考える余地もありません。デンマークでは、日常生活の中での大人と子どもの会話も多く、ささやかなことでもお互いの意見を「聞く、聞いてもらう」という関係が成り立っています。日常生活の中でどのように子どもの意見を聞き、決定に参加させているのか、２つのエピソードで紹介します。

ソフィーの６歳のお誕生がやってきました。この日を心待ちにし、ワクワクする気持ちを抑えられないほどに高揚しています。お誕生日会は、ソフィーの祖父母、叔母、叔父、そしていとこたち10名を招待して開かれました。この日のために、数週間前、ソフィが贈ってもらいたい品を知らせる「プレゼント希望リスト」をママと一緒に作成して、招待客宛てに送ってあります。

誕生日ケーキが、その日の主役です。どのような形で、何のフルーツを使うかなどを考えました。

そしてこの日のために作った誕生日ケーキは、ソフィーのアイデアで、ママと一緒に６歳の「６」の形のスポンジケーキを焼いて、ソフィーの大好きなホイップクリームと季節のベリーをたっぷり使ったデコレーションケーキです。テーブルに置かれた大きくてベリーが散りばめてあるケーキを見て、客たちは、「誰がこの形にしたの？」「飾りは誰が選んだの？」と口々に質問します。これにソフィーは、大きな笑顔で、「私がデザインして、ママと一緒に焼いた

ソフィーの誕生日

の。」「イチゴとラズベリーは、スーパーで私が選んだのよ。」と大得意で答えています。ソフィーは、大きく息を吸って、ケーキに立てられた6本のキャンドルを一息で消したあと、満足そうな笑顔でケーキを頬張っていました。このようなプロセスは、日常さりげなくおこなわれている光景です。

また、デンマークのスーパーマーケットには、大人用の大きなカートと子ども用の小さなカートが用意されているのですが、ある日、ママが大きなカートの中にたくさんの食材や生活用品を入れながら店内を歩いている後から、3～4歳のおチビさんが、小さなカートを押してママについていく姿を見かけました。果物売り場でママがおチビさんに、「なんのフルーツがいいの、メロンそれともパイナップル?」と聞いています。ママは、棚に並んでいる2つの大きなパイナップルを指して「これ、それともこっち?」と、おチビさんが決めるのを促しています。彼は、パイナップルを選び、それを重たそうに自分で取って、小さなカートに入れていました。このような親と子どもの「どれがいいのか」という対話は、どこでも耳にします。そして子どもにとっては、「自分のカートを引く」ことは、ちょっと大

子ども用カートで僕もお買い物

人っぽくも感じているようです。その上、自分のカートに入れた物に責任を感じるのか、品物を自分でレジ台に乗せています。買い物の支払いはママでしたが、すっかり一人でショッピングをした気分のようでした。このおチビさんは、自分の選んだパイナップルを世界で一番おいしいと思って食べたことでしょう。

●遊びから学ぶ「6つの学びプラン」

デンマークの子どもたちは、遊びの達人です。保育園を訪問すると、砂場で砂のケーキ作りをしている子、天まで届けとばかりにブランコを漕いでいる子、三輪車道で顔を真っ赤にしてカーレースさながらガンガンスピードを出して走っている子、園庭にある大きな木に登ろうと挑戦している子、とさまざまな遊びに興じています。雨上がりの日などは、長靴をはいて水たまりにわざと入ってはピチャピチャ水を跳ね飛ばして遊んでいる子どもたちの姿をよく見かけます。このような光景を目にすると、中には「ちょっと自由すぎるのでは？」と顔をしかめる人もいるかもしれません。けれどこのような自由な遊びの中にも、実はデンマーク流の「遊びからの学び」が秘められているようです。

「学校入学前の児童にとって最も大切なことは、読み書きを覚えることではなく、遊びから学ぶこと。子どもはあくまでも子どもらしく、日々の遊びから自分を知り、また集団の中での自分を知ることで、心身ともに健全に成長することができる。」これが、デイケアの基本方針なのです。

デイケアの基本方針をもう少し掘り下げてみると、先に触れたデイサービス法の中のガイドラインに「学びプラン」があります。この「学びプラン」は、子どもの発達に必要な6項目を日々の遊びの中に取り入れて、子どもたちの成長を多方面から促進させるための指導書です。

その6項目は、1．総合的人格形成、2．社会性の発達、3．コミュニケーションと言語、4．体、感覚、運動、5．自然、野外活動、科学、6．文化、美意識、共同体で、項目ごとに「だれが、だれと、どうやって」というように、具体的なキーワードが細かく提示されており、保育士が日々の仕事に応用しやすいように工夫されています。ただこれは、決して保育マニュアルでも、順序立てて実践しなくてはならないというものでもなく、それぞれの自治体や施設が、この「学びプラン」をかなり自由に活用しているようです。幼児期のデモクラシーのめばえを育て、さらに子どもたちの自己肯定感を高めるためのツールだと考えればよいでしょう。

本著では、これら6つの学びの中から、1．総合的人格形成と2．社会性の発達の2項に触れてみたいと思います。

① 総合的人格形成

〈子ども自身がやれること〉

a．自分の意見をいう

b．自分の好きなことを伝える
c．自分が体験したことを伝える
d．皆でできることを発案する
e．自分の得意なことを上達させる
f．自分のあまり得意でないものも上達させる

〈いつ、どのように？〉

a．皆が集まっているとき
b．知っていることや体験したことを話すチャンスがある散歩中に
c．絵を描いているときやお話をするとき
d．友だちと遊ぶとき

〈おとなができること〉

a．こどもを励まして褒める
b．ポジティブな姿勢で子どもと向き合う
c．子どもが自分自身を知ることや、自分を信じることを手助けする
d．子どもが自分の多様性を発揮できるように配慮する
e．子どもが考えていることや感じていることを表現でき、それが意味あるものになるような環境をつくる

f．子どもに周囲を観察すること、積極性を持つこと、決定に参加することを促す

② 社会性の発達

〈子ども自身がやれること〉

a．友だちと仲良くする

b．友だちと協力して何かを一緒にやる

c．保育園で何をするかについての話し合いに参加する

〈どのように〉

a．友だちの話を聞く

b．ほかの子を助ける

c．ほかの子と一緒に楽しい遊びを見つける

d．悲しがっている子をなぐさめる

e．仲良しとはどんなことかを友だちと話し合う

〈おとなができること〉

a．好意的に話す

b．子どもたちが遊びやすい環境を整える

c．子どもが友だちの話を聞き、子ども同士の会話が弾むように促す

d．子どもたちが共通して興味をもち、共感するような課題を提供する
e．子どもが友だちと一緒にいることに喜びを感じ、仲間の一員だと感じられるような場をつくる
f．子どもに、ほかの子にも主張したいことがあることを教え、おもいやりやお互いを気遣うことを促す
g．子どもに共同体の一員として、積極的にものごとに参加することや責任を持つことを促す
h．子どもたちが皆で一緒に課題を解決するように導く
i．喧嘩や衝突が起きたとき、子どもたち自身に解決の道を提案させる

日本とデンマークの保育を比較することは難しく、またそれは本著の目的ではありませんが、一つはっきりいえることは、デンマークには「保育・幼児教育をどのような理念に基づいておこなうべきか」という社会共通認識があり、それが法律やガイドラインに反映され、その

保育園で遊ぶ子どもたち

枠の中で、各自治体や保育現場が、「では、それを具体的にここでどう実現させようか」と考えた上で、実行しているということです。それぞれの地域や施設で独自のビジョンを打ち出し、バラバラに動いているわけではないのです。

⑵ 保育士へのインタビュー

私たちは、幼少期に芽生えるデモクラシーが、保育現場で具体的にどのように育まれているかを知りたいと思い、学校入学前の子どもたちが通っている市の保育施設を2カ所訪ね、日々子どもたちと向き合っている保育士にインタビューしました。

訪問したのは、首都コペンハーゲンから17キロ郊外のゲントフテ市（Gentofte Kommune、人口約7万5千人）にある施設で、一カ所目Ⓐは、0歳～5／6歳児を受け入れている市の統合保育園ヴァンゲデ・バーネフース（Vangade Børnehus）で、2カ所目Ⓑは、3歳～5／6歳児が通う幼児保育園ブローベック・フーセ（Brobækhuse）です。

(A)統合保育園ヴァンゲデ・バーネフースの保育士さんたちにインタビュー

インタビューに応じてくれたのは、ベテラン保育士で保育園の責任者でもある3人の女性（パウラさん、ソフィーさんとカトリーネさん）。彼女たちは、10年前、ヴァンゲデ地区にある3施設の合併と運営の一本化を市に提案しました。そしてそれが認められ、今では合計約230人のゼロ歳から6歳までの子どもたちが、3つの施設に分かれて通園しています。スタッフは常勤が55名で、保育士資格者は約7割（残り3割は、保育ヘルパーやキッチンスタッフ等）、そして男性が18%を占めています。

☆問い　デンマークは夫婦共働き社会なので、大半の学校入学前の子どもたちが施設に通っていますが、保育園の目的は、一言でいえば、なんですか?

—保育園には「子どもの世話をする＝保育」サービスと、「子どもの人間性を育む＝幼児教育」サービスがあり、乳児期には保育の比率が高いですが、子どもの成長とと

インタビューした保育士たち

もに、幼児教育の比率が高まっていきます。そして私たちスタッフの最大任務は、園児たちを社会の一市民へと育てていくことですね。

☆問い　児童・教育省が出しているガイドラインでは、「子ども目線でのデモクラシーと参加」を育む教育を重視していますが、保育園では、毎日の日課の中で、具体的にどのような方法や活動を通じてそれを実践していますか？

―国から出されるガイドラインには、幼児期に学んでほしい「6つの学び」が提示されています（75ページ、遊びから学ぶ「6つの学びプラン」参照）。以前は、これらの学びを実践するために、私たちはさまざまなプログラムを日課に組み入れてきました。これは今でも続けていますが、2019年に更新された新しいガイドラインでは、それだけでなく、子どもたちが朝通園してから午後帰宅するまでの時間帯に起きる一コマ一コマを学びの場と考えて、保育士たちには、一人ひとりの発育に応じた対応やサポートをすることが求められています。それを図式化したのが、この花びらです。

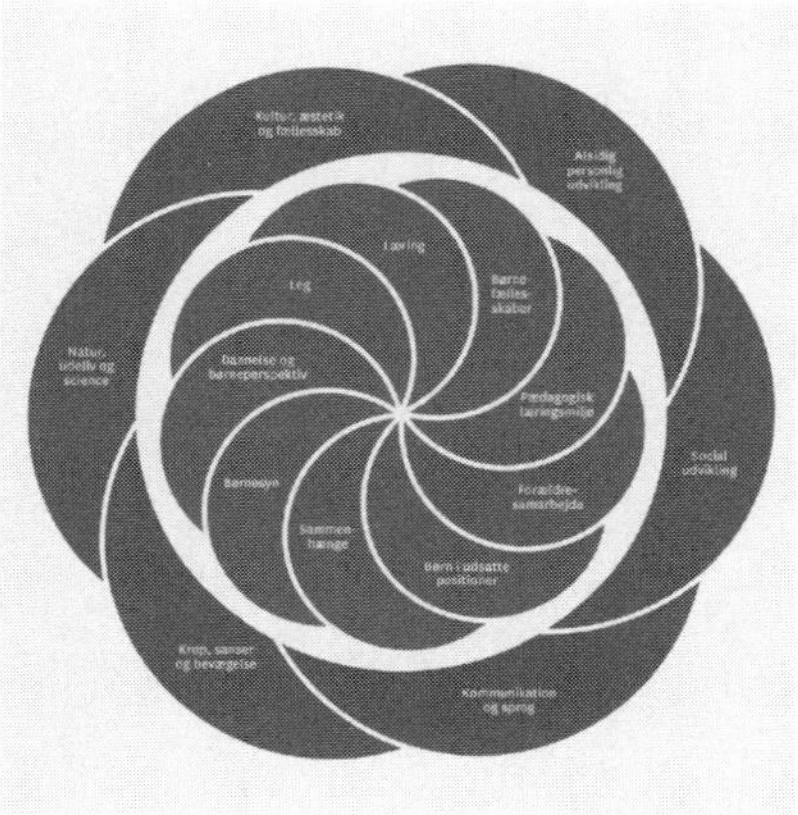

６つの学びプラン（イメージ）

☆問い　6つの学びの花びらがさらに細かくわかれていて、かなり複雑で、私たちにはなかなか理解できませんが……。

――そうですね。私たち保育士は、資格教育の中で幼児教育の理論を学んできましたが、毎日の仕事で、一人ひとりの子どもの性格や成長を把握した上で、その子の発育を包括的に伸ばしていく、それも一日中フォローするとなると、いくらプロでも大変なことです。でも、それを目指して努力していることは確かですね。

☆問い　社会の市民を育てるということは、社会基盤であるデモクラシーを学ぶ必要があるわけですが、保育園では、具体的にどうやって子どもたちに理解してもらい、伸ばしていますか？

――共同体の一員であると認識することがデモクラシーに欠かせませんが、例えば、3歳以下の子どもたちの場合は、グループでよく歌遊びをします。いろいろな物が入っているカバンがあって、子どもたちは、順番にその中から一つ物を取り出します。はじめの子がてんとう虫のおもちゃを取り出したら、てんとう虫の歌を全員で歌い、次の子が別の物を取り出したら、それにピッタリの歌を歌うというように回していきます。子どもたちは、この遊びに自分が積極的に参加して、自分が歌を選ぶ役割を果たしていることを感じ取るのです。

――そのほかにも、皆が集まっている場所で、誰かが話しているときは、ちゃんと人の話を聞くことや、子どもたちの間で喧嘩や口争いなどもめごとが起きた場合、大人はそれをただ制止するのではなく、それぞれの言い分をじっくり聞いた上で、かかわった子どもたち同士、どうすれば仲直りできるかを話し合う機会を作るようにしています。

――この保育園には、さまざまな国からやってきた国籍やルーツの異なる子どもがたくさん通っているので、まさに異文化社会です。もめごとが起きてもおかしくないかもしれませんが、互いに話し合って、どうやって解決していくかの対処法を学ぶ良い機会もたくさんあるのです。

――それから自分のことを自分で決める、これも大事なトレーニングですね。この保育園では、キッチンスタッフがランチを用意して、グループごとに食べますが、大きな容器に盛られたその日のメニューを、各自が取り分けて食べるようにしています。この方法だと、好きな物だけ食べる子も出て、栄養が偏らないかと心配する人もいるかもしれませんが、嫌いなものをいやいや食べさせるのではなく、食事は楽しく快適であることを実感することが大切です。そして自分で取り分けたものは、できるだけ食べ切るように努める。自分で決めたことに責任を持つ、これもトレーニングですね。

—園児たちは、食べてみたいなと思うメニューがあれば、それをリクエストボックスに投函することができます。そんなメニューの中で一番驚いたのは、バナナスープ。結構美味しくて好評でしたが、これなども、「決定に加わる」ことの意義を学ぶ一つの手段ですね。

☆問い　園内での行動や活動一つひとつが、デモクラシーの学びにつながっているのですね。デンマークでは、幼いころから「自己肯定感」を育てているといわれますが、皆さんはどう思いますか？

—そう、自己肯定感を幼いときから子どもたちに植えつけることは、とても大事なことで、私たちは常にそれを心掛けながら園児たちと向き合っています。

靴のひもを結べなかった園児が、へたくそでも結べるようになったら、とにかく「あ、できるようになったのね。えらいわね。」と褒めて励ましてあげる。その一言で自信がつき、次のチャレンジへと進むことになります。

(B)幼児保育園ブローベック・フーセの保育士にインタビュー

こちらは、28年前に保護者と保育士グループで立ち上げた幼児保育園ですが、ゲントフテ市から認可され、予算は他の公立保育園と同様、市から出ています。唯一異なる点は、独自の理事会を持ち、職員の雇用や予算の使い道などにかなり融通性が認められている点です。インタビュー前に見学した園庭には、放し飼いの豚2頭と数羽の鶏、さまざまな形状の小屋、大きなテント、野外舞台、屋根付き砂場、自転車用ガソリンスタンドなどが所狭しと配置されており、園児たちは、自由に自分たちの好きな遊びに興じていました。敷地は3500㎡とのことです。

インタビューに応じてくれたのは、園長でベテラン保育士のヘラさん、ベテラン保育士リケさんと保育士資格を取得したばかりの38歳男性ゴルドさん。3歳～5／6歳の園児60人は、年齢別に3組に分けられ、スタッフは、保育士資格者7人と保育士ヘルパー3人の10人。園長のヘラさんも、年少組を担当する保育士として日々の活動にフル参加しています。

インタビューした保育士たち

☆問い この保育園の特徴はどんなところでしょうか？

―それは、見ておわかりの通り、幼児の発育に欠かせないアイデア一杯の園庭と、野外活動、自然とのふれあい、そして体力づくりですね。またスタッフの入れ替えが非常に少なくて安定していることも、保護者がこの保育園を希望する大きな要因かもしれません。

☆問い　デモクラシーの学びについて、この保育園ではどのような点に注目し、またどのような場面でそれを実践していますか？

―デイサービス法に示された幼児教育ガイドラインが、私たち保育士のフレームのようなもので、全国の保育園はこのビジョンに基づく幼児教育を実践しているわけです。ただこのフレームはかなりマチ幅が広いので、各自治体、各施設なりのカラーも出すことができるように思います。

―デモクラシーの観点からすると、この保育園では、一人ひとりが価値ある存在であり、そのような個人が集まって共同体を形成している、自分はそのグループの一員だという自覚を子どもたちが持つことが、すべての基本だと考えています。

―ここでは、すべての園児が、3歳組、4歳組、年長組ごとに毎週一回水泳教室（春夏）とスケート教室（秋冬）に通うことがプログラムに組み入れられています。ただ教室といっても、特に達成すべき目標が定まっているわけではありません。同年の子どもでも体力や運動神経には差がありますすから、皆が同じ目標を目指すのではなくて、それぞれの子どもが習得したいこと、やってみたいことを自分で決めて、それに向かって努力するように大人たちが仕向けてあげています。フレームは大人がつくり、その中で子どもたちが自由に、マイペースで、水泳やスケートを習得していくわけで、目標が達成できたとき、私たちはそれを褒めて、一緒に喜んであげます。

☆問い それは、自己肯定感を育むことに繋がりますね。

―はい、その通りです。自己肯定感が幼い頃から育まれると、自信がついて、どんどんやりたいことが見つかり、チャレンジしたくなります。水泳・スケート教室は、そのきっかけ作りという一面も持っているように思います。

―自己肯定感とともに、デモクラシー精神として、ものごとを決めるプロセスに加わることも欠かせません。この保育園では、それを想定した子ども会議とか選挙ごっこのようなプログラムは特に設けていませんが、何をしたいかを皆で話し合って決めることはよくあります。そして園児の成長に見合った自己決定と自助能力を伸ばすことを常に心がけています。

☆問い 具体例をあげてくださいますか?

―ここでは、園児全員が、毎日自宅からお弁当とフルーツパックを持参しています。お弁当は、組ごとに決めている時間帯に一緒に食べることにしていますが、フルーツパックの方は、お腹がすいたとき、自分で決めて自由に食べることが出来ます。

―子どもが大きくなるにつれて、自分で決めることが多くなっていきます。服装一つとっても、たとえ大人が、今日は寒いから、外では厚手のコートを着るのが良いと思っても、それを決めつけず、子どもが自分で判断して、良いと思う服装を決めています。

☆問い　最後に、皆さん、保育士という仕事が好きですか？

3人同時に、

―それはもう、疑う余地はありませんね。子どもたち一人ひとりの成長・発達に自分たちが大きくかかわることができることほど素晴らしいことはありません。もちろん責任もその分大きいですけど。

広い庭園で遊ぶ子どもたち

これは、今回インタビューに応じてくれた6人の保育士全員のリアクションでした。

さまざまな面で、環境がかなり異なる2施設の訪問でしたが、デモクラシーを育む場としての基本的ビジョンや園児たちへの接し方は、どちらの施設にも、どの保育士にも、共通しているものだと感じました。

二．義務教育で学ぶデモクラシー

(1) 考える、伝える、聞く、話し合う

●教室の中は、言葉のピンポン

デンマークの義務教育機関である国民学校（Folkeskole、小中一貫公立学校）の授業を参観すると、日本の学校とのあまりの違いにカルチャーショックを覚えます。

まず教室内のレイアウトですが、４人ぐらいで机の島を作って座ることもあり、コの字型にすることもあり、頻繁に机の並べ方が変わります。日本の学校の教室のように、すべての机が整然と前を向いて並んでいることはごくまれです。それは、授業の進め方が大いに関係しています。ここでは先生

が一人で教科書を読んだり説明したり、また黒板を使って、すらすらと問題の解き方を教えるような一方通行的なスタイルはほとんど見受けられず、先生と生徒は、常にインターアクションの関係にあります。

生徒たちが活発に手を挙げ、先生に指された生徒が発言し、またそれに対して先生が問いかけるというように、まるで「言葉のピンポン」をしているようで、先生は生徒をうまく授業に参加させ、いきいきとした雰囲気を作っています。そして先生は、Tシャツにジーンズというリラックスした姿で、時折自分の机に腰かけたり、生徒の間を歩いては生徒たちと会話したり、また生徒も先生も、お互いをファーストネームで呼び合っています。このようなフラットな関係を見るにつけ、デンマークの平等の精神が学校にも定着していることを感じ、先生は生徒たちにとり、一番身近な「人生の良き先輩」であるように思われます。

でも時折、教室内がザワザワと騒がしくなることもあります。そんなとき、先生が口に指をあてて「シッ！」というと、サッと静まるのには驚かされます。これはどうも、先生に怒られるのが怖いか

教室内での授業風景

らではなく、子どもたちにとってみれば、保育園時代から、「人が話をしているときには、静かに聞く」しつけを受けているからのように思われます。

ある日の英語授業では、参観者が日本人だということで、先生が生徒に「日本は、どこ?」と質問し、何人かが手を挙げて、「アジアの国」とか「中国の横にある国」といった色々な答えが返ってきました。すると先生は、生徒に地図を見せて、「私たちが住んでいるデンマークは、どこ?」と聞いています。英語の授業なので英語で会話をしているのですが、なんだか地理の授業のようになってきました。生徒は競って手を挙げ、指された生徒が、得意そうに前に出てきて、地図上のデンマークを指さします。先生から「正解!」といわれ、生徒はニコニコ顔で席に戻りました。そして今度は、「では、今日のお客さんの国は、どこ?」とまた質問。先生がはじめから「日本は、ここよ。」と生徒に伝えれば、授業はどんどん進みますが、デンマークの学校では、先生たちは敢えてそれをせず、このように先生と生徒が「問いと答え」のピンポンを繰り返すことで、生徒たちに「自分で考える」「意見を持つ」「発言する」ことを学ばせ、これが「個」の成長へと繋がっていくようです。

●連帯意識を育てる

デンマークの子どもたちは、幼いころから大人の考えを一方的にあてがわれるのではなく、幼いながらも自分の意見を持つという生活環境で育っています。学校教育においても、生徒一人ひとりの「個性」を育てることに重きが置かれていますが、「個」だけが大きく膨らみすぎると、「個人主義」を「利己主義」とはき違えて、「私が、私が」と自己中心的になる危険性もあります。ただデンマークでは、「個」を重視するだけでなく、「連帯」も大事であると考えられていて、これら二つの単語が、常にセットになっています。それは、一人ひとりが異なった楽器を奏でながら、一緒に一曲の音楽を演奏するオーケストラのようなものです。

デンマークの学校教育では、この連帯意識を高めるために、「グループワーク」を頻繁に取り入れています。その頻度は、ＯＥＣＤ諸国の平均が50％であるのに対し、デンマークは80％という高い結果（２０１８年デンマーク評価研究所ＥＶＡ調査）が報告されています。またデンマークでグループワークが授業に頻繁に取り入れられているもう一つの理由は、生徒たちが、さまざまな授業から得た知識や学び方などを駆使しながら、与えられた課題をグループで団結して解決するという方法が、生徒一人ひとりのモチベーションを高めることにも繋がると考えられているからです。

教師から「自由」、「闘争」、「文化とメディア」、「人権」といったいくつかのテーマ案が出されると、まずその中から、どのテーマを扱うかを生徒と教師が相談して決めます。それからクラスを数名のグループに分けて、グループごとにサブテーマを選んで、グループワークに取り組みます。ただグループワークを成功させるには、教師の綿密な準備が欠かせません。教師は指導者でなく、ファシリテーターやアドバイザーの立場で、グループの自主性を重んじながら、生徒たちを支援しています。グループワークから生徒各自が何を学んでくるか、そしてそれをどう評価するか、ここに教師の力量が求められます。

ある学校の8年生と9年生（日本の中学2年生と3年生）が取り組んでいたテーマは、今世界中で注目されている国連が掲げた「SDGs（Sustainable Development Goals）」でした。これは、数週間にわたる大がかりなグループワークで、生徒たちは5人ほどの小グループに分かれ、各グループはSDGsの17項目ある持続可能な開発目標の中からテーマを一つ選びます。各グループは、図書館で調べたり、メディア情報を集めて分析したり、インタビューをしたり、皆で話し合ったりしながらテーマを掘り下げ、その結果をパワーポイントにまとめて発表するというプロジェクトです。発表日には、クラスメートのみならず、保護者や家族まで招待され、まるで日本の学園祭のような雰囲気に包まれていました。

学校教育の中で実行されている「考える、考えを伝える、考えを聞いて、話し合う」プロセスは、デモクラシーを育てる上で欠かせない重要な要素です。１５０年以上前、デンマークの教育者グルントヴィーは、「学びは、内からくるものでなくてはならない。」と語り、「学校は、生きた学び舎であるべきだ。」と主張していました。グルントヴィーの教育思想は、現代のデンマーク教育の礎として、今なお健在であるようです。

⑵　学校運営には生徒も参加

●学校理事会

以前、エルシノア市（Helsingør Kommune、人口約6万人）の公立学校を日本の研修グループと訪れたとき、生徒たちがどのように学校生活を送っているか、校長先生から詳しく話を聞く機会がありました。その話の中で、私たち日本人が一番驚いたことは、義務教育の学校に、学校運営にあたる理事会があって、そこには生徒代表も加わっているということです。日本であれば、各学校の校長先生や教頭先生が、地域の教育委員会や学校運営協議会と連携して学校運営に当たっていると思いますが、ここに生徒が加わることなど、少なくとも当時は、まったく考えられなかったからです。

デンマークには、国民学校法（Folkeskoleloven）という法律

学校理事会のメンバーたち

がありますが、この法律の第42〜44条で、すべての学校に学校理事会（Skolebestyrelse）を設けることが義務付けられています。この理事会のメンバーは、①保護者代表―理事会の過半数を占め、理事長は保護者代表の中から指名される、②教職員代表―最低２名選出、③生徒代表―最低２名選出、④地域代表―市議会は、地域の企業や青少年教育機関または地域のクラブから最大２名出すことが可能というように、大きく４つのグループで構成されています。

理事会メンバーの任期は、保護者代表は４年（市議会で２年に短縮することも可）で、その他のメンバーは一年です。そして生徒代表も含め、正式メンバー全員が一人一票の議決権を持っています。毎月一回開かれる例会には、校長または教頭も秘書役オブザーバーとして参加しますが、議決権はありません。

学校理事会は、学校の教育方針のほかにも、さまざまな活動の原則や学校のルールを定めたり、予算や教材を承認したり、カリキュラムに対する提案をしたり、さらに校長をはじめとする教員の雇用・解雇に対する提言もできるなど、学校運営に大きな影響力を持っています。ただし人事に関する案件は、例外的に、生徒代表は参加できません。子どもたちにとって学校生活がより良いものになるために、当事者である生徒、保護者、そして学校の教職員が一致協力すること、これが、学校理事会が目指しているものなのでしょう。

では、生徒代表はだれで、どのように決めるのでしょうか。多くの学校では、生徒会長と副会長が代表になるようですが、前述の校長先生の話によると、生徒数の多い大規模な学校の場合は、往々にして生徒会が2つ（低中学年と高学年）あり、それぞれの生徒会長が生徒代表になるとのこと。つまり、小学校5年生の生徒会長が理事会メンバーになることもあるわけです。

校長先生は、こうも話してくれました。

「毎月開かれる例会でさまざまな議題が討議されますが、理事会メンバーの大人たちは、生徒代表にもちゃんと理解してもらえるように、言葉づかいなども十分配慮して話を進めていく必要がありま す。大人だけの会議より、この方がかえって難しいかもしれません。また生徒代表も、生徒会で出た意見をしっかりまとめて発表しなければなりませんし、理事会で決められたことなどを生徒会に持ち帰って伝えなければならないので、これも結構大変です。でも、保護者・教職員・生徒代表とオブザーバーの校長が、このような場でじっくり話し合うことで、おのずと解決の道が開けてくるものです。私は校長として、学校理事会に長年参加してきましたが、意見がまとまらずに多数決でものごとを解決した経験は、これまでたった2回しかありません。一番たいせつなことは、とことん話し合うことで、多数決はあくまでも最後の手段ですね。子どもたちも、このような場を通じて、学校運営に参加し、学校生活の中からデモクラシーを学んでいくことになります。」

●デンマークの学校の生徒会

ここで少しデンマークの学校の生徒会（Elevråd）について説明を加えます。

日本にも、中学校、高等学校、中等教育学校には生徒会が設置されているので、これ自体は特に目新しくはありませんが、調べていくにつれて、どうもニュアンスの違いがあるように思えてきました。

デンマークでは、義務教育である国民学校（6～15歳位）からすでに生徒会があり（ただし法律上義務付けられてはいない）、一クラス1～2名の生徒が、選挙で生徒会委員に選出されます。ただ特に低学年の場合は、生徒会が何をするところなのか、どのように話し合えばよいのか、問題をどうやって提議するかなど、むずかしいことだらけです。そこで、デンマークの多くの学校には、生徒会にコンタクト・ティーチャーが一人いて、会がスムーズに進行するように、さまざまな支援や指導をおこなっています。このコンタクト・ティーチャーと校長は、生徒会の健全な発展に対する共同責任を担っているのです。

ある学校では、「学校のトイレが汚くて、使う気がしない。何とかしてほしい。」という問題が、多くのクラスから持ち上がりました。日本の学校と違い、デンマークの学校をはじめとする公共施設の清掃は、市が契約を結んでいる清掃業者が夜間におこなっていますが、どうもこれでは不十分なのでしょう。この議題は生徒会にかけられ、討議された結果、クラス当番制を作り、昼休みの時間帯に、生徒が校内トイレの簡単な清掃をすることになりました。もちろん、低学年生もこの活動に参加することになります。

●生徒たちのための、生徒たちによる全国組織

デンマークには、義務教育を受けている生徒たちのための、生徒たちによる全国組織（Danske Skolelever、通称ＤＳＥ）があり、すべての生徒が充実した学校生活を送れるように、全生徒と学校はじめ政治家や教育関連組織などを繋ぐパイプ役になっています。そしてＤＳＥでは、生徒会の運営の仕方や、学校理事会のメンバーとなった生徒代表のためのトレーニング・プログラムなど多くの研修活動も、大人の手を借りずに、自主的におこなっています。

デンマークでは、デモクラシーをはじめ政治や社会のしくみなどは、教科書で勉強するというより、むしろ日常の学校生活の中で、実体験して身につけていくものだと考えているようです。ただこれを実現させるためには、各学校の教職員・保護者・政治家・地域市民たちの積極的な協力と支援が欠かせないように思われます。

(3) 学ぼう、選挙と国会のしくみ

●3週間にわたる選挙教育活動

デンマークには、学校選挙（Skolevalg）と呼ばれる青少年（14～17歳）のための疑似選挙プログラムがあります。これは、国会と児童・教育省が、デンマーク青少年協議会（Dansk Ungdoms Fællesråd、青少年のための80団体で構成されている総括組織）と連携して、2015年から、2年に一度実施しているもので、毎回、首相自らが国会の場で、「○月○日に学校選挙をおこなうことを、女王陛下に宣言しました！」と報告して、3週間にわたる選挙教育活動が幕を開けます。

2021年の秋におこなわれた学校選挙には、全国750校の高学年生徒（日本であれば中学生）約8万人が参加しましたが、彼らは、この期間中にいったい何を体験し、何を学んだのでしょうか。

このプログラムに参加した学校は、対象となる学年生徒のために、社会科を中心に国語など他の科目も組み入れた特別授業を組み、生徒たちは、選挙に関するさまざまなことを学んでいきます。プログラムの第一週目に参加者全員がしなければならないことは、前もって提示された20の政治論点の中から、取り上げたいテーマを各自が3つ選択することです。

そして第2週目に入ると、生徒たちはグループごとに話し合ってテーマを一つに絞り、そのテーマ

投票用紙を手にする生徒

について調査やインタビューをして、理解を深めていきます。その間、国会に議席を持つ政党の青年部も、それぞれ3つテーマを選び、それらに対する政党青年部としての見解や施策をまとめます。

投票日のちょうど一週間前、国会議事堂には学校選挙に参加する12の政党青年部が集合し、まるで本物の国会さながら、リーダー同士のディベートが繰り広げられます。8万人の生徒たちは、このオンライン・ディベート中継を見て、どの政党が自分たちの意見を一番良く反映してくれているかを考えます。そして第3週目には、これらの政党青年部が、申し込みのあった全国各地の参加校（約450校）を巡回して、生徒たちと話し合いの場を持ちます。

そしていよいよ投票日。750の学校では、選挙人である対象生徒全員に選挙人カードと投票用紙が配られ、選挙管理者（一般的には校長先生や社会科の先生が担当する）が特別に設置した投票場で、本物の選挙と全く同じプロセスを踏んで投票がおこなわれ、その結果が国会に順次集計されます。学校選挙のクライマックスは、何といっても、投票日の夜の選挙結果発表でしょう。選挙人は、息を呑んで、テレビで放送される選挙実況中継を見守り、一時間後に選挙結果が発表されました。

各政党（青年部）が何パーセント票を獲得したか、もしこれが本当の選挙だったとしたら、国会の何議席を獲得できたか、また当時国会を大きく二分していたレッドブロック（左派政党）とブルーブロック（右派政党）それぞれの獲得比率も公表されました。この年の学校選挙では、政府与党の社会民主党（Socialdemokratiet）が23・5％を獲得して首位、そしてレッドブロックが国会議席の57・4％を獲得するという結果に終わりました。この結果に大喜びした生徒も、残念がった生徒もいたことでしょう。そのいずれであっても、この学校選挙を体験したことは、8万人の若者たちにとって、青少年期における忘れられない大きな貴重な一ページになっただろうと思います。

ちなみに、この年の学校選挙で取り上げられた論点の中で最も若者の関心が高かったのは、①暴力行為に対するより重い刑罰（18・8％）、②税金で賄われる学校給食（9・3％）、③トップタックス（高額所得に課せられる税金）の撤廃（8・9％）、④相続税の撤廃（7・4％）、⑤臨床心理士によるケアの無償化（6・4％）でした。

「デモクラシーは、当然のように、どこにでも存在しているものではありません。また生まれたときからの民主主義者とか、善良な市民など、誰一人いません。デモクラシーは、人が成長していく過程で、学ばなければならないものです。学校選挙は、生徒たちの日常生活に政治を持ち込み、ここで彼らは、私たちの社会の発展を決定づける重要課題について討論し、また自分たちなりに判断を下します。若者たちは、より良い社会を作るプロセスに参加できるし、参加しなければいけません。これは彼らに課せられた任務であり、これは今だけでなく、将来の若者にも課せられるべき任務なのです。私たち大人は、若者たちに、この訓練の機会を提供しなければなりません。」当時の国会議長は、2021年の学校選挙を振り返って、こう語りました。

●青少年国会

デンマークでは、この学校選挙とは別に、青少年国会（Ungdomsparlamentet）が2年に一度開催されています。これは、国会で取り上げてもらいたい法案を添えて、青少年国会への参加申し込みをした8年生または9年生クラスの中から、60クラスが選出され、それらクラスの担任教師一人と生徒代表3人が国会に集合して、まる一日、本物の国会さながらに、法案の審議、討論、決議などのプロセスを学びながら体験するというものです。全国の青少年から寄せられた800以上の法案や、当日取り上げられた12の法案とその決議内容は、担当大臣と各政党に手渡されて、青少年国会の幕が閉じられます。この一日ヤング議員たちを受け入れるのは、国会議長、首相はじめ多くの現役大臣、そして各政党の代表たちです。もしかすると、これまで青少年国会に参加した若者の中から、未来の国会議員が生まれるかもしれません。まったく予測できませんが、そんなことを考えると、なんとなくワクワクしてきます。

⑷ 子ども市議会

● オーフス市の例

この日のオーフス市議会の議場は、普段とはまったく違う雰囲気に包まれていました。議会を進める市長は、はるかに若く、また議場がいつもよりムンムンと熱気さえ感じられます。それもそのはず、議場に集まっているのは、市内の国民学校を代表する中学生31名で、子ども市議会が開催されているところです。

オーフス市は、人口35万人、首都コペンハーゲンに続くデンマーク第二の都市です。市内には、公立の国民学校46校と特別支援学校２校があり、全生徒数は、約２万７０００人（２０２２年）です。ヤング議員候補者は、市内５カ所にあるそれぞれの選挙区

子ども市議会の様子

で公約を掲げて立候補します。選挙区は、学校区が基準となり、その区の生徒数に応じて、それぞれ議席数と補欠数が振り分けられ、大人の市議会選挙と全く同じプロセスでおこなわれます。

選挙後、当選したヤング議員の中から市長一名と副市長2名が選ばれ、彼らが議場の運営を取り仕切ります。この議会は、若者目線で市の政策に反映させたいと思う希望や改革案を議案としてまとめ、一年を通して討議する「子どもたちが運営する子どもたちのための議会」です。

若者関連の政策を若者自身で策定し、決定に参加するプロセスを市が2007年にテスト的に実施したところ、若者の視点が大人と異なることが明らかになり、これがきっかけとなって、2009年からは「子ども市議会」として市の定例活動プログラムに組み入れられ、以来13年間続いています。子ども市議会は、10月から翌年5月までが会期で、その間に7回の定例会が午後一時から4時までオーフス市議会場で開かれます。議会がある日、ヤング議員たちは、学校の授業から放免され、いつもなら大人の議員が座り論議を交わす席に少し高揚した顔つきで座り、真剣なまなざしで議会のプロトコールに従い、議案の審査、質問などを進めていきます。ではヤングたちは、どのような公約を掲げて、選挙に臨んだのでしょう。立候補した二人の若者の選挙公約を紹介します。

ラウラさん、16歳（女子）

私の名前は、ラウラ、9年生（中3）です。

私は、2年間子ども市議会のメンバーでした。今年は、精神病、例えば若者が抱える恐怖症や躁うつ病の予防に焦点を当てたいと思います。過去数年間、メンタルヘルスの主な焦点は治療でしたが、私は、予防にもっと焦点を当てる必要があると思っています。

そのため私は、この課題について、もっと多くのことを学びたいと思っています。

すべての若者が快適な学校生活を送れるように支援したいなら、是非私に投票してください。

ストーム君、14歳（男子）

僕の名前は、ストームで7年生(中1)です。学校では、気候に関する授業が不十分だと感じています。なので、僕たちに何ができるのかを考えるために、気候のプロジェクト週間を立ち上げることを提案します。例えば、気候変動の対策を取り入れているグリーン企業を見学して、僕たちが何をすべきか、インスピレーションを得ることも一案です。

僕の提案が良いアイデアで、役に立つと思ったら、僕に投票してください。

●大人の役割

子ども市議会では、「選ぶ権利と選ばれる権利」を中学生対象としています。この年齢になると、自分の意見を持ち、発表力も高まってきていますが、この活動をさらに活発化させるためには、大人のひと工夫の後押しが必要です。各学校には、選挙アドバイザーの役目を担う教師がおり、子ども市議会をサポートしています。アドバイザーは、意欲のありそうな生徒を探し、励ましたり助言したりして、より多くの生徒が立候補するように後押しをします。また立候補に必要な手続きや、保護者の許可を得るといった準備、さらに公約やビラの作成などのアドバスをすることも、選挙アドバイザーの大切な役目です。

子ども市議会は、４件の議案を大人市議会に提出でき、大人市議会は、その議案を議会で取り上げる義務があります。ヤングからの議案が、ヒヤリングだけに終わらず、重要なアジェンダとして討議され、可決されてオーフス市を変えたケースは、これまでに多々ありました。例えば、２０１９／２０２０年度には、子ども市議会が掲げた「識字障害の環境改善」と、市内の学校における「性教育の強化と促進」という議題が可決され、予算がついて、すでに軌道に乗っています。

オーフス市では、毎年10月に実施される選挙で、大人の市議会と同数の31名のヤング議員が選出されます。投票率は、平均70％台とのこと。選ぶこと、選ばれることを通して、一人ひとりの意見と行動が社会を変えることに繋がることを実体験し、デモクラシーへの理解を深めることができるようです。現オーフス市長ヤコブ・ボンスゴードは、「子ども市議会は、２００７年に始まって以来重要な位置にあり、オーフス市に価値あるインプットを与えてくれています。」と語っています。

この子ども市議会を実施している自治体は、２０２２年現在、デンマーク全国98自治体のうちほぼ半数です。子どもは、市の未来、国の未来です。彼らが自分たちの社会を見つめ、考えを発信していける環境と、その声を真摯に受け止める大人がいることが、市の変革と発展に繋がり、また自分の住む市、自分の住む国に対する愛着心と誇りにも繋がっていきます。

三．ティーンエイジャーたちのデモクラシー

⑴ 自分で決める―A・B・C

デンマークの子どもたちは、幼いころから選択肢を与えられて育っているせいか、ティーンエイジャーにもなると、それぞれの個性がかなりはっきりしてきて、自分の好きなこと、関心のあること、やってみたいことが多様化してきます。また各自の行動範囲もそれにつれて一段と広がり、一人ひとりが自分なりの違った人生を少しずつ歩み始めるように思われます。これはデンマークに限らず、日本のヤングにもいえることだと思いますが、日本には進学のための「受験」という壁があり、その準備にかなり時間が割かれるので、それだけ取ってみても、両国のヤングたちの日常生活は、相当異な

るようです。

●卒業後の進路

中学卒業後の進路といえば、日本ならば「どこの高校に進学するか（受験するか）」だと思いますが、デンマークでは、そうなりません。というのは、デンマークには受験制度がなく、義務教育終了後の進路にはいくつかの選択肢があり、その中から、自分の進む道を自分で決めることが、ティーンエイジャーに求められるからです。

その一つが高校（Gymnasium）ですが、このほかにも職業専門学校やアフタースクールという選択肢もあります。デンマークの高校は、大学レベルの高等教育に進むために必要な「一般教養」を学ぶ場所と考えられています。ですから、もし自分が医師・看護師・学校教師・技師・弁護士など高等教育にいかなければ資格が取れない職業に将来就きたいと思っているのなら、高校を選ぶでしょう。けれど、もし自分が将来やってみたい仕事が、大工・美容師・介護士・調理師・機械工など中等教育で資格を取ることが

調理師を目指す若者たち

できる職域ならば、なにも高校に進学する必要はなく、職業専門学校を選べばよいわけです。デンマークの教育は、「生きるため」の教育であり、進路とは、尽きるところ、将来の人生進路のことを指します。

ということは、義務教育の学校に通っている間に、ある程度自分が進みたい道を考えておく必要があります。はたして15～16歳のヤングたちに、自分の将来の方向性を決めることはできるのでしょうか。これは、とても難しいことだと思います。そのため、高学年になると、生徒・保護者・担任の先生が定期的におこなっている面談で、生徒各自の興味や得意分野が何かといったことから、今後の進路についても、じっくり話し合われているようです。そう、ここでも、「三者平等の対話」が尊重されて、身近な大人たちからの助言を受けながら、最終的には、ヤング自身が、自分の進路を決めることになります。

●ヤングたちのフリータイム

さて、デンマークのヤングたちは、放課後や週末の自由時間をどう過ごしているのでしょう。所属している地域のスポーツクラブで練習に励みながら年下の子どもたちの指導に当たる者、音楽教室に通って好きな楽器を習得する者、お小遣い稼ぎのためにスーパーマーケットなどでアルバイトを始める者などまちまちです。

フリーダさんは9年生（中3）のとき、近くのスーパーマーケットで、週末に棚卸し作業やレジの仕事をしていました。「なぜアルバイトをするの？」と聞くと、「卒業したら、アフタースクールに入ることを決めたの。今は学校のパソコンを使っているけれど、卒業後は自分のパソコンが必要になるから、まずそれを買うためにアルバイトで貯金。あと全寮制の学校だといろいろ費用がかかるので、そのためにもお小遣いを貯めておかなきゃ。」という返事。

●アフタースクールとは？

フリーダさんが入学を決めたアフタースクール（Efterskole）とは、高校と職業専門学校どちらに進学するかを中学卒業時点で決めずに、これからの可能性や進む道をじっくり考えてみたい、これまで学校の授業で学ぶ機会が少なかったことを学んでみたい、これまでずっと慣れ親しんできた家族や友だちと少し離れ、新しい環境の中で新しい人間関係を作ってみたい、といった希望

アフタースクールの青少年たち

を抱いているヤングのための全寮制の学校です。
アフタースクールの歴史は１８７９年にまでさかのぼりますが、現在では、それぞれ特色をもつ学校が全国各地に２４１校あり、毎年約３万人のヤングが入学して、人気を博しています。

９年間の学校生活にちょっぴり疲れたフリーダさんは、卒業2年前からアフタースクールに行くことを目指して、全国各地のアフタースクールをインターネットで片っぱしから調べ、自分の希望にマッチする学校を探し当てました。そこは何と、家から車や列車で5時間近くかかる遠い地方の学校でしたが、両親と共に学校の見学会に参加して、自分の選択が正しかったことを確認し、自信と期待に胸を膨らませて進学しました。そして今、新しくできた友だちと、一年間の寄宿生活を満喫しています。

また彼女の2歳年下の妹カイサさんも、卒業後にアフタースクール入学を希望しており、現在模索中。でも彼女は、その前にもう一つ大きな決断をしました。それは、15歳で迎えるキリスト教の堅信式を受けるか／受けないかの選択です。大半のクラスメートが堅信式を受けるのに反して、彼女は「ノー」という答えを出しました。両親ともよく話し合った上で決めたのだと思いますが、「自分らしさ」を求めて、15歳で出したこの勇気ある決断に、周囲の大人たちは、暖かい拍手を送りました。

●中学生からアルバイト

17歳のミケル君は、中学時代から、週2回地元のグルメレストランのキッチンで働いており、今ではその働きぶりが認められて、皿洗い以外にもさまざまな仕事を任されるようになっているとか。「オーナーは、学生アルバイトも他のスタッフと同じように、チームの一員として扱ってくれるので、仕事は結構キツイけど、いろいろなことが学べて楽しいよ。ゲストに最高の食事とひとときを味わってもらうためには、スタッフ全員が、それぞれの役割をこなしながら助け合うチームワークが一番たいせつで、大人の世界って、毎日毎日が真剣勝負なのだということもわかった。」と、誇らしげに語ってくれました。

中学生からもうアルバイト？と怪訝《けげん》に思われるかもしれませんが、デンマークでは、これはごく普通のこと。なんでも親に頼るのではなく、自分が欲しいものや、やりたいことにかかる費用を、自分で働いて貯めたお金でゲットしたいという気持ちは、ティーンエイジャーにもなると強くなるようです。

でも、未成年者を安い賃金ではたらかせようとする悪質企業も、ないとは限りません。このような事態が起きないように、デンマークでは、すべての職場ではたらく人たちの労働環境が守られているかをチェックする厳しいシステムがあり、また職業別労働組合も目を光らせていて、学生アルバイトも当然その範疇に入ります。ただ、今は、ネットを通じてお金を稼ぐこともできる時代なので、子どもたちの自主性だけに任せてしまうことは、危険を伴います。

ティーンエイジャーの子どもを持つ親たちの心配は尽きないかもしれませんが、肝心なことは、いつでも親に相談できる、親子でフランクに語り合える家庭内環境を築いておくことでしょう。デンマーク人は、学校や職場だけでなく、家庭でも話し合いの時間をたいせつにしています。夜食卓を囲んでの一家団らんのひとときなどは、まさに絶好の対話の場。こうした日常の家族同士の対話は、ヤングたちの「自己決定」の芽を育くむ土壌にもなっているようです。

⑵ 高校生は大いそがし

● 性教育を高校でも！

コロナ感染予防規制が撤廃された２０２２年2月、デンマークの全国高校生組織ＤＧＳ（Danske Gymnasieelevers Samling）は、多くの高校生に呼びかけて、平日授業の一部を割いてオンライン集会を実施しました。「性教育は高校生にとり絶対に必要。是非授業に取り入れてほしい。」という多くの高校生からの声を政治家や社会にアピールすることが、この集会の目的でした。

デンマークが義務教育の学校で性教育を始めたのは、今から50年前のこと。「性に関する正しい知識を子どもたちが持つことは、人の健全な成長にとり重要だ。」というのが、デンマーク社会の考え方で、国民学校の児童・生徒は、年齢相応の性教育を学校でそれなりに学んできました。ただ、これまでの研究やアンケート調査によると、デンマークにおける性行為デビューの平均年齢は16〜17歳といわれ、まさにこの年齢あるいはそれより上のヤング向けのより踏み込んだ性教育は、実施されていないのが現状です。

高校生たちは、性に関連して発生しうる人間関係の問題（同意・リミット）や、性の多様性などを含めた多面的な性教育の必要性を強く感じており、今回のアクションとなりました。

当時の児童・教育大臣は、ストライキの翌日、彼女のツイッターに、「高校生のみなさん、性教育を学校の授業にもっと取り入れるべきだというあなたたちの主張は、正しいです。政府

高校生の性教育をめぐるストライキ風景

は、あなたたちの要望と提案に応じて、これを実施することを決めました。」というメッセージを発表しました。

これを受けて、DGS会長アルマさん（高3女子）は、「大臣が、性教育に関する私たちの要望をバックアップしてくれたことは、素晴らしい。これは私たちにとり重要な案件であるだけでなく、大勢が結束して声を上げることが決して無駄にならないという点でも、大きな意義があることです。」という声明を出しました。

ちなみに、ここで紹介した全国高校生組織DGSは、1965年に設立され、半世紀以上にわたって、デンマークの高校生たちのネットワーク・対話づくりや、高校の生徒会における民主主義活動への支援などをおこない、現在のメンバーは、約8万5000人です。組織作りが好きなデンマーク人の国民性は、ヤングたちも例外ではないようです。

●高校で開催された「ウクライナ支援チャリティーの夕べ」

2022年2月24日、ロシア軍が隣国ウクライナ侵攻を実行しました。一方的な攻撃を受けたウクライナからは、女性・子どもを中心に、400万人を超える市民が隣国のポーランドやルーマニア、ハンガリー、モルドバなどに避難を余儀なくされました。そしてこれらの避難民の一部は、さらにヨーロッパの他の国々へと移動し、デンマークも数万人の避難民を受け入れることとなりました。

デンマークはＥＵ・ＮＡＴＯ両方に加盟しているので、政府は、他の加盟諸国と結束し、侵攻直後から、ウクライナを政治・経済・社会面で支援しました。これと並行して、デンマークでは、主要メディアと赤十字をはじめとする慈善救援団体が、共催でチャリティーショーを開催し、一般市民や民間企業から数十億円の義援金を集めましたし、このほかにも、全国各地でさまざまな支援活動が盛り上がりました。

その一つとして、コペンハーゲン郊外のある高校で、チャリティーの夕べが開催されました。平日の夜、高校の大講堂には、在校生や教員だけでなく、在校生の親・親戚・知人や地元市民が大勢つめかけました。外部からの参加者は、入場時にスマホで１００クローネ（約１８００円）を支払い、用意された飲み物や手作りケーキ、そしてくじ引き券を義援金の一部として購入。中には在学中の息子に頼まれて、一枚９００円のくじ引き券を30枚購入した父親もいました。プログラムは、校長先生の挨拶で始まり、デンマーク赤十字社事務総長によるウクライナ

高校生による「ウクライナ支援チャリティーの夕べ」

現地状況報告、地元市長の避難民受け入れ状況報告、そして防衛大学教授による「ロシアによるウクライナ侵攻の背景と今後のゆくえ」というテーマ講演と続き、その合間には、地元企業・商店・レストランなどから寄贈された品々のくじ引きがおこなわれました。

校長先生は、会の冒頭で、「今夜の催しの企画運営は、すべてチャリティー委員会のメンバーを中心とする在校生が担当し、私たち教員は一切タッチしませんでした。もちろん私たちは、この素晴らしい企画に全面的に賛同し、精神的なバックアップはしてきました。」と語りました。会終了時、チャリティー委員会の生徒代表からは、集められた義援金額と、そのすべてが赤十字に寄付されることがアナウンスされ、出席者からは、生徒たちへのねぎらいの拍手と歓声が沸き起こりました。生徒たちの顔は、一つのことを自力で、そして団結して成し遂げた喜びと達成感で輝いていました。

●成年年齢と高校生

日本では、百年以上の長きにわたり、成年年齢は20歳とされていましたが、近年、公職選挙法の選挙権年齢などが18歳に引き下げられ、その流れで、成年年齢の18歳引き下げが議論されて、ようやく2018年に民法が一部改正され、2022年4月1日に施行されました。

当事者である日本の18歳・19歳ヤングたちからは、「大人の仲間入りをすることで、親に頼らずに生きる可能性が膨らむので、ワクワクする。」といった期待の声が聞かれました。と同時に、「はたして今の18歳ヤングは、自立した大人として行動できるだろうか?」という問いや不安の声が、当事者からも、またその親や高校の先生たちからも聞かれ、期待と不安が入り混じった船出だったように思います。

デンマークの場合は、長いこと成年年齢は21歳でしたが、1969年に20歳、そして1976年に18歳へと引き下げられました。それからすでに半世紀近く経っているので、18歳で大人の仲間入りをすることは、デンマーク人にとり、すでに当たり前のことになっています。日本のような成人式はありませんが、18歳の誕生日は、人生の大きな節目の一つと考えられており、この日は、家族・親戚・友人が集まって、盛大なパーティーを催すのが習慣です。

デンマークの18歳ヤングたちが最も期待で胸を膨らませていること、それは、運転免許取得と選挙権取得でしょう。運転免許取得にかかる費用は、自分でアルバイトをして貯めている若者もいますが、両親からの誕生日プレゼントであるケースも多いようです。

そして選挙権の取得も、多くの18歳ヤングにとっては、運転免許と同じぐらい重要なことで、これではじめて一人前の大人とみなされ、また積極的に社会参画できることになると考えているようです。国政選挙や4年に一度の地方選挙では、投票前の選挙運動の一環として、複数政党の立候補者によるディベートが、全国各地で繰り広げられます。そしてその会場として、高校が選ばれることがよくあります。それもそのはず、ここには、選挙権を得たばかりのヤングたちが、たくさんいるからです。中学時代に疑似選挙などを体験している生徒も多く、一般的に高校生の政治への関心は高いので、このようなディベートでは、会場に集まった生徒たちからも質問が矢継ぎ早に出され、それに何人かの候補者が答え、さらにそこから、会場を巻き込んだディスカッションが繰り広げられるなど、ムンムンとした熱気に包まれます。

もう一つ注目したいのは、日本とデンマークで、選挙権の意味合いが異なることです。日本では、18歳から選挙投票権が得られますが、デンマークでは、これに加えて、被選挙権（地方・国会議員への立候補）も可能になるのです。事実、デンマークでは、18歳や19歳のティーンエイジャーが地方選挙や国政選挙に立候補するケースはこれまで何回かあり、今のところ国会議員の最年少記録は、2001年に19歳で当選した女性です。小中学校のころから、学校の生徒会や理事会、疑似選挙や子ども市議会、さらに日々の学校生活の中で、体験を通してデモクラシーのしくみや精神を学び、そして高校生になってからは、自分たちで自主的にさまざまな活動に加わり、企画実行するようになります。このような環境の中で育っていくと、ティーンエイジャーの政治家が輩出しても、別に不思議ではないでしょう。

四. 成人としてのデモクラシー

(1) 自立人生―A・B・C

●精神的な自立

デンマーク人は、人生を大きく3つに分けて考えています。それは、①第一の人生：人間形成の成長期、②第二の人生：社会を支える生産期、③第三の人生：退職後の人生総まとめ期です。そしてそれぞれの人生期で大切にしていることは、第一の人生ならば、遊び、学び、自分の芽を伸ばす。第二の人生ならば、はたらき、自己実現を目指し、仕事と家庭を両立させる。第三の人生ならば、家族は心の支え、でも老いても子に頼らず、自分らしい人生を最期まで送る。となり、ここに共通しているのは、自立と自分らしさです。

若者の巣立ち風景

デンマークの子どもたちは、保育や教育を受けながら成人へと成長していく過程で、「自分でものごとを考え、自分で決める。出来ることは自分でする。」という自立のノウハウを身に付けていきます。そして親は、子どもが成年年齢の18歳に達すると、彼らを「一人の大人」として認め、子どもが決めたことやライフスタイルに対して、とやかく口出しすることはせず、あくまでもアドバイザー役に徹します。

親離れの時期は、それぞれの国の文化によりかなり異なるようですが、幼いころから自立心を養ってきたデンマークの若者たちの場合は、駆け足でやってきます。それは、早ければ義務教育を終えた時点で、自分の住んでいる地域に目指す次の学校がなければ、進学を機に、親元を離れることになるでしょう。あるいは、大学レベルの高等教育に進学する18〜20歳ころかもしれません。

1. 孝子の子どもの例

我が家では、娘が二人とも20歳で独立しました。日本人で

アパートで共同生活を始めた学生たち

ある私は、「親元から大学に通えば生活費も浮くし、何かと便利なので、急いで独立しなくても良いのでは？」と提案しましたが、「まわりの友だちがみんな独立するし、私自身も、今がまさにその時期だと思う。」と長女からの返事。娘の予期せぬ早い独立に、当初は一抹以上の寂しさを感じましたが、次女の時は既に免疫ができていたので、笑顔で送り出すことが出来ました。娘たちは親元を離れることが、ある意味、自分の人生を歩み出す大きな一歩だと感じていたようで、目を輝かせて引っ越し準備をしている姿には、センチメンタルな雰囲気は微塵も感じられませんでした。

2．夏代の子どもの例

長男は、大学入学と同時に学生寮を申し込んでいましたが、実家から大学まで20キロという近い距離だったためか、なかなか寮に入れず、大学2年生の21歳の時にやっと寮に入ることができました。彼は寮に入ることが決まった日から、楽しそうに一人で寮に持っていく物を着々と揃えて、窓にかけるカーテンさえ自分で縫っていました。引っ越しの当日、車に生活用具が積み込まれて「では、行ってきます。」と家を離れる息子に、「ああ、これで彼の独り歩きがスタートする。」という親としての安堵と、息子のたのもしさを感じた瞬間でした。こういうことを「巣立ち」とよくたとえますが、まさに、彼自身が自分の足で歩く時期を感じとって、巣立ちの時を迎えたのです。

最近発表されたＥＵの親離れ時期調査によると、デンマークは平均21歳で、スウェーデンの20・7

歳に次ぎ2位と早く、南欧諸国とは9歳ほどの開きがあります。そして、女子は半数以上が20歳で独立しますが、男子は5人に2人で、どうも巣立ちは、一般的に女子の方が早いようです。デンマークでは、若者たちが独立すれば、料理・洗濯をはじめとする家事はもちろんのこと、家庭を築けば育児に至るまで、男女隔てなく出来なければ務まりません。その点、女子よりも男子の自立（特に母親離れ）の方が課題かもしれません。

●経済的な自立

デンマークを含む北欧諸国の若者たちの親離れが、他のヨーロッパ諸国（特に南欧）と比べてかなり早いのは、北欧の若者の精神的な自立が早いからなのでしょうか？ 幼いころから自立心を養う教育を受けていることが影響していることは確かですが、どうもそれだけではなさそうです。

北欧諸国の共通点は、社会保障システムが確立され、医療や福祉とともに教育も公的サービスであることです。本人に向学心と適応性があれば、親に経済的な負担をかけずに、大学教育まで無償で受けられます。とはいうものの、教育費は私たちの税金で賄われているので、私たちは、自分の子どもの教育費でなく、社会の若者たちの教育費を税金という形で間接的に払っていることになります。

基本的に教育費が無償な上、デンマークでは、18歳以上の中・高等教育を受けている学生には、無利子・無返済の奨学金（通称ＳＵ）が給付されています。この制度の利用には、数々の条件が付いており、支給額や期間は必ずしも一律ではありませんが、大まかにいうと、親元で生活している場合は、親の収入により月約1万9000円〜5万2000円、自活している場合は、月約12万2000円です。「この奨学金で、勉学中の家賃や食費などの生活費をなんとかカバーしなさい。」これが、若者に向けた国からのメッセージです。ただ物価の高いデンマークでは、これだけでは決して十分とはいえないようで、大半の学生は、アルバイトか学生に有利なSUローンを受けて、その不足分を補っています。

日本であれば、大学入学を機に別の都市へ子どもが引っ越すような場合だと、教育費だけでなく、生活費も親が負担するケースがほとんどで、親の経済負担は限りなく続くようです。しかし、デンマークでは、親が子どもに仕送りするケースはごくまれで、子どもも、親に金銭的に依存することを好みません。贅沢はできず、勉学とアルバイトに忙しくても、若者は自立していることを誇りに思っているように見受けられます。若者の経済的な自立は、社会ぐるみの支援で成り立っており、彼らはそれをよく認識しているようです。

1．夏代の子どもの例

長男に続いて次男も学生寮に移り、自活者としてのSUを受けて、それが彼らの生活費の財源となりました。その額は、寮費、食費、電話などの固定的な支出額と少々の予備費が算出された額で、贅沢はできませんが、自力で大学生活を送ることができます。親から2人には、映画や娯楽に使えるように毎月500クローネ（当時約1万円）を援助しましたが、6年間の大学生活中に「足りないので資金援助して?」という問いは、一切ありませんでした。長男は、大学の授業のアシスタントのアルバイトをしていましたが、次男は、アルバイトなしで6年間の大学生活を送りました。

2. 孝子の子どもの例

長女が独立すると決めたとき、どこに住むか、自分なりにいろいろ検討した結果、コペンハーゲン市内の古くて小さなマンションを購入することにしました。親は、学生寮か賃貸アパートを見つけてくるものと思っていたので、彼女から話を聞いてビックリすると同時に、いくら何でもそれは無理だと忠告しました。しかし彼女は、両親が18年間彼女のために積み立てた「子ども預金」を使わずに有利な学生預金として保管し、これを敷金に充てて、さらに銀行と交渉してローンを組んだと語ります。「月々のローン返済額は、賃貸アパートの家賃とあまり変わらないことがわかったので、それなら自分で所有した方が、断然有利でしょ。」取引先の銀行は紹介しましたが、あとは彼女が一人で考えて決めたことです。娘のことを頼もしく思うと同時に、20歳の学生にローンを認めた銀行の姿勢にも驚かされました。

教育課程を終え、資格を取得すれば、社会ではたらく第二の人生が待っています。

男女の別なく、だれもが自分に合った仕事を探し、収入を得ることで、経済的な自立を保持することができるわけです。大半のデンマーク人は、それから60歳代の半ばごろまではたらき続けます。その間、職場や仕事の内容は、キャリアアップやその他いろいろな事情で、かなり頻繁に変わるかもしれませんが、解雇というケースでない限り、自分で自分の生きる道をシフトしていきます。会社の都合で泣く泣く単身赴任させられる、といった事例は、聞いたことがありませんし、そもそも定年退職という制度も、デンマークにはありません。第二の人生から第三の人生に移る時期は、あくまでも自分で決める。これが、デンマーク人の生き方なのです。

そして第三の人生では、自分が長年はたらいてきた期間に掛けてきた労働市場年金(Arbejdsmarkedspension、日本の厚生年金に近いが、雇用者負担が2／3で、自己負担は1／3)と国から支給される国民年金(67歳から)で、これまでとほぼ同レベルの生活水準を保持し、自立した生活を続けることができます。ここまでくると、「長年高い税金を払ってきて本当に良かった。」と思えるようになるのです。

⑵ 大学生と新社会人へのインタビュー

●大学院で日本語を学ぶ32歳のステフェンさんにインタビュー

彼は、コペンハーゲン大学大学院に在学して日本語を専攻していますが、半年後の卒業を控えて、今卒論に取り組む忙しい毎日を送っています。日本にも留学した経験があるので、デンマーク人の目から見た日本社会やデモクラシーについても聞いてみたいと思います。

☆問い　まず簡単に、これまでの経歴を語ってくれますか？

―私はユトランド半島北部の田舎町に生まれ、17歳まで親元で生活していましたが、高校が少し離れていたので、入学を機に、実家を離れて独立しました。父の趣味が写真撮影だったので、自然と私も写真に関心を抱くようになり、高校卒業後に、フォトグラフィーを教育テーマの一つにしている国民高等学校に入りました。

ステフェンさん

ここで写真家の道に進むことを決意して、スウェーデンのユテボリ大学の芸術学科に入学。在学中に、日本の大学との交換留学制度を利用して、日本に半年間留学しました。東京造形大学です。当時は日本語がわからなかったので、日本語オンリーの授業には全くついていけませんでしたが、写真という媒体を通じて日本社会に接したことで、この国への関心が高まりました。

この留学が大きな契機となり、ユテボリ大学卒業後、今度は日本語を学びたいと思って、コペンハーゲン大学の日本語科に入学しました。そして在学中に、再度日本の大学（早稲田大学）に半年間留学して、建築・写真・日本語を勉強し、さらに在日デンマーク大使館で半年インターンシップとしてはたらきました。

☆問い　ずいぶん多彩な学歴を持っているのですね。17歳からこれまでずっと自立生活を送ってこられたわけですが、生活費や学費はどうやってまかなってきたのですか？

――デンマークは、「教育は国の投資」と考えていて、大学を含むすべての公立教育機関の学費は自己負担がないから、本当に助かります。そして留学も、国費留学の場合は、大学相互で費用をカバーしてくれます。

――高校時代は、実家からの支援と少しばかりの奨学金と休み中のアルバイトで生活費をまかなっていました。卒業後は、国から学生に支給される奨学金とフリーランスのフォトグラファーとして仕事もしていたので、主にその2つの収入でまかなっていました。奨学金は、スウェーデンに留学していたときも、日本に短期留学していたときも受給できたので、経済的に困ることはなかったですね。

まさに、教育は国の投資ですね。日本の若者にとっては羨ましい限りだと思います。

☆問い　ではデモクラシーについて質問したいと思います。保育園にはじまって、義務教育、高校、大学と長年にわたり教育を受けてきた中で、あなたやデンマークの若者たちは、どんな形でデモクラシーを身につけてきたのでしょう。あなたにとって、デモクラシーとは、どういうことですか?

—そうですね、日頃特に考えて生活しているわけではないですが、デンマークでは、保育園のころから、自分の意見をいう、話し合う、自分でできることは自分でするといったことを訓練されてきたし、学校では生徒会の委員をしていたので、皆の意見をまとめることや、さまざまなことを皆が協力して解決していくことなど、デモクラシーの基本は身についたと思います。

—今学生寮で、年齢・性別・バックグランド・専攻科目が異なる5人（男性2人と女性3人）が共同生活を送っていますが、こういう小さな共同体でも、大げさかもしれませんが、デモクラシー精神がないとうまく回わらないと思いますね。私たちは、2週間に一度、かならず全員でミーティングを開き、問題が発生すれば、オープンに話し合って解決するように心がけています。だから、各自の状況や生活リズムや考え方が違っても、お互いにリスペクトし合って、快適な共同生活が送れています。これがデンマークでいう、「日常のデモクラシー」なのかな。

☆問い　多くの日本人は、日本を民主主義社会と考えていますが、延べ一年半日本で生活してみて、デンマークと日本のデモクラシーの違いを感じましたか?

―デンマークでは、政治が私たちの生活に直結した身近なものに感じられて、仲間と政治の話はよくするけれど、日本の若者は、あまり政治の話はしないようですね。確かに日本の政治・行政システムは、形の上では民主主義に基づいていると思いますが、一般市民にとっては、政治は何かとっつきにくいものみたいに思えます。

それから、日常のデモクラシーということだと、日本の若者は、授業中に質問するとか自分の意見を述べることは、あまりしませんね。早稲田留学時代、国際学部に所属していましたが、授業中に話すのは外国人留学生だけで、日本人学生はいつも静かでした。言葉の障害だけでなく、学校でトレーニングしてこなかったからかもしれませんね。

☆問い　あなたは近々長い学生生活に終止符を打つことになりますが、これまでの勉強は、誰のために、何のためにしてきたのでしょう。それから将来の計画があれば、それも聞かせて下さい。

―勉強はすべて、自分が好きで強い関心を持っていたから学んできました。これまでの勉学人生で自分が手にしたというか、しようとしている専門分野は、日本語とフォトグラフィーなので、将来は、この2つが結びつくような仕事を是非クリエートしたいと考えています。翻訳会社を立ち上げて、日本の児童文学や著名写真家などが出版した本などを、デンマークに紹介したいと思っています。すでに仲間たちと会社立ち上げの構想を練り始めているんです。

―あと個人的には、これまで8年間遠距離交際を続けてきた恋人と、ようやく近々一緒に住むことになります。彼女は保育士の資格教育を終えて、就職したばかり。仕事上は別々の道を歩みますが、二人で良い家庭を築いて、早く子どもがほしいなと思っています。

●王立デンマーク芸術アカデミー（国立大学）の建築科2年生のチルデさん（22歳）と彼女のお兄さんで社会人一年目のアスカさん（25歳）へのインタビュー

チルデさんとアスカさん

☆問い　まずレディーファーストで、チルデさんから、簡単に経歴を話してください。

〈チルデ〉

―私は高校を卒業するまで実家で暮らしていました。数学が好きで、建築に興味を持っていたので、まず建築技師になりたいと思い、実家から独立してコペンハーゲンに移り、デンマーク技術大学（Danmarks Tekniske Universitet、通称DTU）に入学しました。一年間ここで勉強しましたが、土木学が中心で、これにはあまり興味を持てなかったため、もっとクリエイティブな建築デザインを勉強したいと思って、王立アカデミーの建築科に移籍し、2年経過したところです。卒業まであと3年かかります。大学の勉強が忙しくて、アルバイトに充てられる時間は限られるけれど、大学入学前に働いていた建築関連コンサル会社に、今も週一日通っています。今は技術大学5年生の彼氏（28歳）とアパートで一緒に暮らしています。

〈**アスカ**〉

―私は小さい時からテクニックに興味があり、コンピューターゲームに夢中になって、学校の勉強は、あまり興味が持てなかったですね。だから高校卒業時の国家試験の成績が良くなくて、希望していた技術大学には入学できませんでしたが、別の大学にテクノ人類学部（Techno Anthropology）があるのを見つけ、これは面白そうだと思って入学しました。データとかDNAとかロボットとか、人間はこれまで計り知れない技術を開発してきたけれど、これが人間や社会にどのような影響を及ぼすかを考えるのが、この学問です。

その後IT専門家を養成するIT大学でも勉強して、無事卒業し、今年の春からIT関連会社でデータ処理のコンサルタントとしてはたらいています。また副業としてIT大学で学生指導もしています。

―これまでは男友だち2人とアパートをシェアして共同生活をしてきましたが、近々ドイツ人の恋人（27歳）と共に生活することになります。彼女も有力企業のビジネス開発部門に就職できて、フルタイムではたらいています。やっと社会人になれたので、二人で資金を出し合って、マンションを購入しました。

☆問い　近年世界中でデモクラシーが語られ、デモクラシーの定義も国によっていろいろですが、デンマークに生まれ育ったあなた方は、デモクラシーをどう考えていますか？

〈アスカ〉

―デモクラシーについては、友だちと日常よく語り合っています。テクノ人間学を勉強したせいか、哲学的な話は面白いです。入社した会社は、社長も日頃ジーンズ姿だし、上司というより良き友・先輩という感じが強く、仕事のことも、プライベートなことも、気軽に話せるリラックスな雰囲気がありますね。だから上司の命令を聞いて仕事をするスタイルではなくて、皆で課題を解決していくフラットな構造です。これは、デンマークの多くの職場に共通していえるのかもしれません。

〈チルデ〉

―私は小学生のころから政治に関心があり、より良い社会を作るためにに出来ることは何かを考えてきました。実は9歳のときに、学校の課題授業で「グリーン・ピース運動」をテーマに選んで環境のことを勉強し、それから食物と健康に興味を持ち、結果として菜食主義者になることを自分で決めたのですが、これがきっかけだったと思います。社会で起きていることに目を向けて、ティーンエイジャー時代から友だちとよくディスカッションしましたし、必要と思えば、デモに参加して主張することもありました。

—今在学している大学では、学生が大学環境グループを立ち上げて、学内の行事・授業内容・学生生活そして教授法など、多方面の内部環境に学生の声を反映させる努力をしているのですが、私も積極的に参加しています。これも身近なデモクラシー活動ですね。

☆問い　デンマークでは、18歳で選挙・被選挙権を取得するけれど、これまでの国政・地方選挙では投票してきましたか？

〈チルデ〉
—もちろんです。数週間後に迫った国民投票に関しては、友だちとほぼ毎日のようにディスカッションしてきたので、ワクワクしていて、投票結果がどう出るか楽しみです。一般の選挙では、自分の意見に最も近い政党に欠かさず投票しています。でも一政党の考え方すべてに同意しているわけではないので、政党青年部に所属することは考えていません。

〈**アスカ**〉

――ここが兄妹で違うところかな。今度の国民投票は全く関心がないし、仲間と話し合っていませんが、選挙には必ず参加しています。「今の若者は、社会を変えようと組織立って運動することに消極的だ。」とよくいわれますが、親や祖父母世代が若かったころは、社会のありようが今とは違って多くの課題を抱えていたから、組織立った運動が必要だったのでしょうね。今の若者は無関心というわけではなくて、以前とは別の視野で社会を見つめ、改善していこうと考えていると思いますよ。

――親・祖父母世代が積極的に政治参加して、これまでにより良い社会を築いてくれたことを、若者たちは感謝しています。国の税金でまかなわれている奨学金があるおかげで、若者だれもが学びたい教育を受けられるなんて、こんな素晴らしいことないですよね。

〈**チルデ**〉

――経済的な不安を抱えずに、また親に迷惑をかけずに、自分で決めた道を自分らしく歩んでいけることを、今実感しています。これを次の世代に繋げるのが、私たちの役目なのよね。

第四章

生活の中のデモクラシー

夫婦仲良くショッピング

一・「信頼と連帯」で成り立っている社会

(1) 信頼は幸福のカギ

私たちがデンマークに暮らしていて感じる国の政策の柱は、大きく分けて2つあります。それは社会福祉国家政策と、私たちの生活に必要不可欠なデジタル化政策です。この2つの大きな政策を推進する上で要になっているのは、社会や人びとに対する「信頼」と「連帯」にほかなりません。これらは人びとの意識であり、目に見えないものなので厄介ですが、この2つが両輪で動かない限り、デンマークの福祉社会とデジタル社会は機能しないといえるほど重要です。

長年「信頼」について研究しているコペンハーゲン大学の政治学教授ピーター・チステッド・ディネセン(Peter Thisted Dinesen)は、「他人を信頼するということは、しばしば生産的であり、個人と社会双方に利益をもたらす可能性がある。」と指摘しています。２００1年からヨーロッパ36カ国の社会事情をモニタリングしている研究機関の欧州社会研究（European Social Survey、通称ＥＳＳ）

は、信頼度を0点（信頼できない）から10点（ほとんどの他人を信頼できる）のスケールでランキングして発表しています。２００２年から２０１８年までの調査平均値では、一位デンマーク（6・92）、2位ノルウェー（6・69）、3位フィンランド（6・61）で、北欧諸国の信頼度が高いことがわかります。

またオーフス大学経済学教授で「幸福学」の研究者でもあるクリスチャン・ビヨンスコウ（Christian Bjørnskov）は、「北欧の幸せ」（Happiness in the Nordic World、２０２１年出版）の中で、「スカンジナビアの子どもたちは、『信頼』とともに生まれてきます。国民の幸福の真のカギは、社会的信頼、つまり個人的に知らない他人を信頼する精神を持ち合わせることです。」と説いています。

信頼に関連する一つのエピソードを思い出しました。それは20数年前の話ですが、アメリカでデンマーク人の母親が、赤ちゃんをベビーカーに寝かせ、窓からよく見える外の場所にベビーカーを置いたままレストランで食事をしていたところ、ニューヨーク警察が、これを保育放置ととらえて彼女を逮捕し、一晩留置所に収監したという事件です。デンマークでは、赤ちゃんをベビーカーに乗せて外でお昼寝させる習慣があり、親がレストランの窓から良く見える場所にベビーカーを置いて食事することは、よく見かける光景なので、この事件は驚きをもって大々的に報道されました。「所変われば……」といいますが、ニューヨークという土地で彼女が取った行動は、確かに軽率だったかもしれません。社会的信頼はどこにでも存在するとは限らないことを、デンマーク人が思い知った出来事でした。

(2) 福祉社会の基本は、「信頼と連帯」

デンマークに見られる福祉社会は、国民が誰一人として社会から落ちこぼれることなく、高度な社会保障の下で、文化的かつ安心した生活を営むことを目的としています。そしてこの社会保障は、「国民皆で負担し、お互いに支え合う」という連帯精神から生まれる「高福祉・高負担」の考え方で成り立っています。

デンマークの所得税や25%の付加価値税（日本の消費税）は、世界的にもトップクラスですが、納税者である国民は、「重税で苦しい」とか、「税金泥棒」などと、文句たらたらではないのかというと、とんでもありません。デンマーク人に「あなたの納税率は高いと思いますか？」と問うと、おおかた「高いですよ！ でもね、教育や医療が無料で受けられ、安心して暮らせるから、払うのは当然！」という答えが返ってきます。税金が何に使われるかに不信感を抱かず、自分たちがしっかり見返りを受けていると国民が感じているのは、まさに国民が国を信頼している表れだと納得します。

所得税や付加価値税以外にも、タバコ、アルコール、自動車などには、特別物品税が課税されています。ただ、これだけでは終わりません。さらに、国から支給されている学生奨学金（SU）や、さまざまな生活手当から年金に至るまで、すべての収入に対して、それなりの割合で税金が課せられているのです。それでも国民は、安心した生活を実感しているので、「喜んで税金を払う」といい切れるのかもしれません。

デンマーク人は、政治に対する関心が高く、国政選挙の投票率は常に80％を超えますが、これは、国民が国の「高福祉・高負担」政策を厳しい目でウォッチしているからであり、と同時に、信頼できる政治家を自分たちの手で選ぼうという連帯意識の表れでもあるのです。

⑶デジタル社会の基本も、「信頼と連帯」

デンマークは、国連が２０２２年９月に発表した「電子政府ランキング２０２２」（E-government Development Index）で、前回（２０２０年）に引き続き一位に選ばれました。この調査は、国連１９３加盟国すべての公共デジタル化進展状況を示す世界的なレポートです。日常生活やデンマーク社会全体がデジタル化されていると常々感じている私たちは、この結果に「なるほど、やっぱりそうか！」と頷くことができます。

デンマークにおけるデジタル化の歴史は、今から50年以上前の１９６８年にさかのぼります。国は、それまで地方自治体がパンチカードで保存していた市民データのデジタル化を始め、中央個人登録番号制（Det Centrale Personregister、通称ＣＰＲ番号）を導入しました。

子どもが誕生すると、すぐ病院から市役所経由で、中央個人登録番号管理局（CPR-Administration）に連絡が入り、そこで番号が決まると、即病院にフィードバックされ、生まれたばかりの赤ちゃんの腕に、ＣＰＲ番号が記載された腕輪が装着されます。また海外からの移住者の場合は、滞在ビザが発行された時点で自動的に付与されます。このＣＰＲ番号は、誕生日＋月＋年＋４桁の数字(女性は偶数、男性は奇数）の10桁から成り、ここには、氏名、住所、生年月日、国籍、宗教、婚姻状況など個人の身分情報がインプットされていて、社会保障や税金の管理に紐づけされて用いられています。

例えば、家庭医や病院で診察の予約を入れるような場合、まずＣＰＲ番号が問われます。そこから医療機関は、利用者（患者）の通院記録、治療経緯、服用中の薬など必要な個人情報を専門のＷＥＢで閲覧することができ、たとえ担当医が代わっても、患者の経緯を把握することができます。

また２０１０年からは、ネットバンキングや行政機関にアクセスする際などに必要な二重認証システム（ＣＰＲ番号に紐づいたデジタル・アカウント［NemID］）が導入され、２０２２年からは、さらに改良されたMitIDと呼ばれるアカウントシステムが、これに代わって使われるようになってきています。それだけではありません。今では、行政や医療機関からの連絡事項などは、全国民に割り当てられた電子私書箱（Digital Post、通称 eboks）に入ってくるため、公共機関などからのペーパーによる郵便連絡は、ほとんど姿を消しました。

ただこれだけのデジタル社会は、電子機器の普及なくしては考えられません。２０２２年の電子機器保有率を世帯単位で見ると、パソコン94％、携帯電話97％、スマートテレビ80％（デンマーク統計局）と１００％に限りなく近く、大人はもちろんのこと、義務教育を受けている子どもたち全員が、学校から支給されるパソコンやタブレットを日々フルに活用しています。

けれど社会には、デジタル化についていけない人たちも当然いるわけで、この人たちにしてみれば、効率が良いどころか、操作が複雑で、お手上げしたくなる厄介者です。そこで公共機関は、高齢や何らかの障害理由でデジタル化に乗れない人たちのために、そのようなケースに限り、個人が申請すれば、従来のアナログ情報システムも認めています。デンマークの多くのシニアたちは、自分たちがデジタル化の波に乗り遅れまいと、コンピューター教室などに自主的かつ積極的に通って、努力しているのです。

日本ではマイナンバーシステムの導入が始まっていますが、これを持つか持たないかは、個人の選択に委ねられていて、いまだに賛否両論が聞こえてきます。ある日本の政治学者は、「マイナンバーシステムには、反対です。」と語調を強めて語りました。その理由を聞くと、「長年一政党が国の政治を司ってきた日本でこのシステムを導入したら、国民の個人情報が完全に管理されてしまい、実に危険だから。」という回答が返ってきました。大半のデンマーク人が、便利で効率の良い生活を送ることができるとして、何の不信感も抱いていないのとは対照的です。これは、国の政治や行政に対する国民の信頼度の違いなのでしょうか。

⑷ コロナ・パンデミックで見えた国と人びとの「信頼と連帯」

新型コロナウイルスがデンマークに上陸したのは、２０２０年2月末でした。その後コロナ感染は、「あれよ、あれよ」という間に猛スピードで拡大し、政府はかつて経験したことのないウイルスとの闘いに立ち向かうため、一気に忙しくなりました。この非常事態に立ち臨んだのは、前年２０１９年6月の政権交代で与党となった社会民主党で、メテ・フレデリクセン首相（Mette Frederiksen）は当時43歳、閣僚20名の平均年齢は31・８歳という若さでした。

デンマーク政府は、コロナ禍の約3年間、絶えずテレビ記者会見を開いて、私たちにコロナ感染状況、国の対策状況や見通し、規制発表、ワクチン関連情報などを発表してきました。記者会見には、首相のほかにも保健大臣、保健局長（医師）や国立血清研究所所長、さらに国境封鎖などに関しては警察庁や外務省のトップも参加して、首相のリーダーシップの下、それぞれの専門分野での見解が述べられました。

　このような記者会見の中で、特に印象に残ったメテ・フレデリクセン首相のスピーチがあります。『ほぼ2年前にコロナがデンマークを襲って以来、政府は3つの明確な目標を常に念頭に置いて政策を進めてきました。まずそれは、人命を救うための対策です。私たちは、高齢者や弱者を守らなければなりません。感染する人が少なければ少ないほど、死亡者も少なくなります。第二に、医療制度の崩壊を何としても防ぐこと、そして第三に、経済と雇用の両立を可能な限りはかり、危機を乗り越えることです。』（２０２１年12月記者会見でのスピーチ）

　2回のロックダウンが敷かれた時には、社会活動が大幅に制限され、10人以上の集まりが禁止され、保育所の休園や教育現場がリモート授業に代わり、多くの職場も在宅勤務にシフトされました。飛行場の駐機場に飛べない飛行機が列をなして並んでいるのを見て、私たちは、ふるさとと日本が急に遠のき、離れ小島に取り残されたような想いにかられることもありました。とはいうものの、先の見えないコロナ禍であっても、大半の国民は、さほど

コロナ対策に関する記者会見（中央がフレデリクセン首相）

大きな不安を感じることなく、生活を営むことができたように思います。それは、

①常に政府が先手・先手のコロナ対策を打ち出し、それを国民が十分納得・理解できるように説明したこと。

②ロックダウンという非常時に営業活動を休止しなければならなかった事業者の倒産を回避するための補償対策や、一時的失業者の雇用を守る対策を取るなど、社会保障政策を固辞したこと。

③ここにきて、デンマークのデジタルシステムが十二分に機能し、迅速かつ極めて効率良いＰＣＲ検査やワクチン接種が進んだこと、などによります。

さらにデンマークの人びとを勇気づけたのは、毎朝定刻時にラジオとテレビで放送された歌番組でした。コーラスグループの指揮者が奏でるピアノ伴奏に合わせて、人びとはそれぞれ自宅にいながら、デンマークの讃美歌や唱歌を合唱したのです。

またロックダウン中に80歳の誕生日を迎えられたマルガレーテ2世女王のために、全国各地の市民がテレビ中継で合唱するという前代未聞の特別番組が組まれ、それをご覧になった女王陛下は、深く感動されました。そして女王陛下は、誕生祝いの花束をご自分が受け取るのではなく、高齢者施設で生活している高齢者に贈ってほしいと語られ、この日たくさんの花束が、ホームに届けられました。「皆でこの危機を乗り越えよう！」というデンマーク社会の連帯感を、これほど強く感じたことは、後にも先にもありません。

コロナ感染が勃発した当初２０２０年３月に、デンマークの保険会社TrykFondenが１０２０人を対象に実施した信頼度調査があります。86項目に及ぶ調査の中から、政府の信頼度に関する項目を抜粋してみました。

1. 政治指導者を信頼していますか
   - ほぼ信頼している：48％
   - 信頼している：35％
2. コロナ禍が長期化した場合、経済的な不安はありますか
   - 心配ない：46％
   - 心配あり：26％
   - わからない：15％
3. 政府からのコロナに関する情報は少ないと思いますか
   - 少ないとは思わない：77％
   - どちらとも：13％
   - 少ないと思う：９％
4. 政府のコロナ関連記者会見をテレビで観ましたか
   - 観た：88％
   - 一部観た：８％
   - 観ていない：４％

5．２０２０年３月11日の首相記者会見（ロックダウン発表）を観ましたか　観た：81％　観ていない：17％　知らなかった：２％

6．２０２０年３月17日にマルガレーテ女王が国民向けにされたテレビスピーチを観ましたか　観た：87％　観ていない：13％

二．「対話」のたいせつさ

(1) まずは、自分の意見を持つこと

デンマーク人は、とにかくよく話し、またよく人の話に耳を傾けます。人が数人集まれば、「ああいえば、こういう」とピンポンのように打てば返る会話が弾み、ともすれば、理屈っぽいと思えるほど話し好きです。何か一つ尋ねると、「何々です。なぜかというと……」と解釈がつくことしばしばです。それもそのはず、デンマーク人は、保育園に通っているころから、「自分の意見を持ち、それを友だちに伝える」ことを日々学んでおり、学校の授業でも、先生と生徒間あるいは生徒同士のディ

ベートが頻繁におこなわれ、テレビ放送も、娯楽番組枠かと疑いたくなるほど政治評論などのディベート番組が多く、視聴率も高いようです。

ひと昔前の日本の職場では、先輩の「背中を見て学ぶこと」が職人の技を学ぶ極意とか、また「阿《あ》吽《うん》の呼吸」のように、言葉で伝えなくても、お互いにわかり合っている状態が親密さを表し、好意的に受け入れられてきました。そしてその風潮は、現在もなお続いているようで、話し好きな人は大勢いても、いざ人前で自分の意見をいうとなると、口を塞いでしまう人が多く、どうも日本人は、自分の意見を発表するのが苦手な国民であるようです。「自分の意見や意志を伝える」訓練の機会が少ないからかもしれません。逆にデンマークでは、言葉ではっきり自分の気持ちを伝えない限り、お互いを理解できないとか、黙っていては「何を考えているか、さっぱりわからない。」と思われてしまいます。

言葉によるコミュニケーションには、会話や対話などがありますが、会話がはっきりとした目的を持たないのに対して、「対話＝Dialog」は、お互いの意見の違いを理解し、その「ずれ」をすり合わせることを目的としています。ディベートも一種の対話だといえるでしょう。

そしてこの「対話」は、国と国民、行政と市民、組織と利用者や、議員同士・生徒同士・家族同士といった人と人の関係において、不必要な争いや対立を避けるため、お互いをより理解するため、ものごとを向上させるためなど、相互理解をはかる上で重要なコミュニケーションツールとみなされています。デンマーク人は、この「対話」による解決の道を150年以上前から常に探り続けてきたので、時間をかけても、考えの「ずれ」を突き合わせて合意に至るプロセスを重視し、十分な対話がおこなわれないまま、一刀両断的に多数決でものごとを決める手段は好みません。

⑵ 新政権誕生で見えた対話

第二章で紹介したハル・コック(Hal Koch)は、70年以上前に、彼の出版物『デモクラシーとは何か』(Hvad er Demokrati?)の文中で、「民主主義の本質は、投票によって規定されるのではなく、対話や協議、相互の尊敬と理解、そしてここから生まれる全体利益に対する感覚によって規定される。」と表現しています。(56ページ参照)

連立政権に向けての政党間の対話

その最たる実例を、２０２２年秋に実施されたデンマーク国政選挙後に見ることができました。その結果は、なんと、これまで歴史的に代わる代わる政権を握ってきたライバル同士の左派と右派陣営が手を組んだ連立政権だったのです。

この国政選挙は、コロナ禍における社会民主党政権に対する信任を問う選挙でしたが、その結果は、84・２％という高い投票率で、社会民主党が１７９議席中50議席を獲得して第一党を保持し、党首のメテ・フレデリクセン（Mette Frederiksen）の首相再任が確実となりました。コロナに加え、ロシアによるウクライナ侵攻が勃発して国際情勢が不安定な中、彼女は、選挙前から安定した政権を視野に、幅広い政党からなる連立政権を目指したいと表明していました。さて、そのパートナーはどの政党になるのか、連日メディア報道は、その話題でもちきりでした。

しかし、来る日も来る日も連立政権成立の発表がありません。それもそのはず、フレデリクセン首相は、この選挙で国会議席を獲得した12の政党党首を次々と首相官邸に招いて、

大連立内閣の記者会見

政策的に合意できるか協議に協議を重ね、総選挙から43日が経過した12月15日にようやく連立相手が決まり、発表に漕ぎつけたのです。

メディアや国民が注目する中発表されたのは、ライバルで第2政党である中道右派の自由党(Venstre)と、新しく結成され第3政党に躍り出た中道派の穏健党(Moderaterne、党首は以前首相を2期務めた)との3党大連立政権でした。

多くの人は、この3党が政策合意に至るチャンスは少ないと見ていたので、この発表にあちこちからどよめきが聞こえるほど、メディアも有権者も、「すごい、ありえない。」と驚きました。記者会見に臨んだ3党の党首たちは、「私たちは、政党間の権力闘争ではなく、国際情勢が不安定な今、各党がそれぞれの強みを出しながら、いかにデンマーク社会の改革を進め、より良いデンマーク社会を構築できるかという視点で対話を続けてきた。」と述べていました。このような大連立政権が発足するのは、デンマークでは43年ぶりのことです。昨日まで左派と右派に分かれて対立していた陣営が、国益のためにいかに結束し、これからどういう政治舞台を見せてくれるのか、国民は興味を持ってウォッチしていくことになります。

⑶ デモクラシーの祭典「フォーク・ミーティング」

毎年6月の3週間目になると、ボーンホルム島（Bornholm）の小さな港町アーリング（Allinge）は、普段の静けさから一変して、市の人口の2倍以上の人たちが集う活気溢れる大イベント会場と化します。ボーンホルム島は、スウェーデンの南のバルト海に浮かぶデンマーク領の島で、総人口4万人、面積は588㎢の小さな島。城塞遺跡や蒼い海、そして鰊《にしん》の燻製で知られ、デンマーク人のみならず、スウェーデン人やドイツ人が好んでバカンスを過ごす島です。

4日間にわたるこのイベントは、ジャスフェストでもポップフェストでもなく、国政・外交・環境・福祉などさまざまなジャンルの課題を、行政と一般市民が語り合う公開ディベート「フォーク・ミーティング」で、デンマーク人は、これを「デモクラシーの祭典」と呼んでいます。この企画の目的は、市民と政

フォーク・ミーティングに向かう人びと

策決定者の距離をもっと縮め、相互信頼の向上をはかり、デモクラシーを強化することで、2011年から毎年この時期に開催されるようになり、以来着実に参加者を増やし、「デモクラシーの祭典」として発展・定着してきました。

2022年6月に開催されたフォーク・ミーティングの主要テーマは、「健康・気候・国際政治」でした。コロナ禍で一時中断されていたブランクを取り戻すかのように、参加者は延べ9万人を超え、熱気に溢れていました。期間中は、夏の太陽がさんさんと輝く好天気に恵まれ、テント・船・レストラン・カフェ・岩の上・大空の下など200カ所の会場が市のあちこちに設置されて、講演・トークイベント・ワークショップ・コンサートなど2500種のイベントが開かれました。

政党や国会議員、EUや自治体政治家、企業、組合、草の根グループ、そして大勢の一般市民は、各自が興味を持っているイベント会場を訪れていました。メインステージでは、各政党の党首が政策を30分の持ち時間内で講演し、別のテントでは、政治家と一般市民の対話や討論が繰り広げられ、会場の一画からはギター演奏や陽気な歌声が聞こえ、フードコートでは食品メーカーがオーガニック料理を提供するといった盛況ぶりは、まさにフェスティバルそのもの。このフォーク・ミーティングは、多種多様な職域の28名の無償ボランティアからなる非営利団体が運営しています。

参加者の一人で教員のメテさんは、「政党の演説にも興味があるけれど、コーヒーを飲みながら、他の参加者やＮＧＯと忌憚なく話せる場として、とっても貴重だと思う。」と話してくれました。

またこのイベントでは、初めての試みとして、「ヤングアジェンダ」も開催されました。16歳から30歳の若者８００人が、全国各地からバックパックを背負い寝袋を抱いて集まり、メインテーマの「命と魂」や健康・教育・福祉などにつき、世代を超えて熱心な討論を繰り広げました。今後は、より多くの若者の参加を見込んで、デンマーク主要都市からボーンホルム島行きの割引バスを運行することが計画されているそうです。

デンマーク人は、このようなイベントに参加して多くの人たちの意見を聞き、また自分の意見を伝えることが、自らの生活を変え、さらに国の未来をも変えるパワーになると信じています。そしてなによりも、政治家を含むだれもが、分け隔てなく気軽に語り合える場を提供することが、イベントの成功に繋がっているのだと思います。このフォーク・ミーティングの活動の輪は、他の自治体にも徐々に広がりを見せており、市民と市議会議員が自由に対話することで、さまざまなアイデアが生まれてくることでしょう。

⑷ ユーザー・デモクラシー

ユーザー・デモクラシーは、デンマーク語で「Brugerdemokrati」といい、直訳すると、「利用者民主主義」となります。これは、医療・福祉・教育などの公共サービスを、より使いやすく、より快適なものにするために、サービスを受けるユーザー（利用者）に参加してもらい、意見交換や提案を促す方策です。そしてその趣旨に基づいて各公共サービス機関で組織されているのが、「利用者委員会」です。

例えば、保育園には保護者会、学校には学校理事会（95ページ参照）、そして高齢者施設には入居者・家族委員会が設置されており、それと同じように、公立病院にも利用者委員会があって、患者およびその家族との活発な対話から出た意見や提案で診療が改善され、医療サービス向上に役立っています。

ギュドストルップ公立病院（Regionshospitalet Gødstrup）の利用者委員会は、利用者とその家族、患者組合、医療スタッフ、市の議員および開業医の代表15人で構成されており、年5～6回開かれる会合では、病院のサービス一般や各診療部門などに関する意見交換がおこなわれています。具体的にどのような話し合いが持たれているか、その例をいくつか挙げて見ると、

・患者自身の入院中の体験談
・患者と医療スタッフのコミュニケーションのありかた
・入院中に良かったと感じたこと、
などがあります。

メンバーの一人である医師は、「委員たちは、医療現場向上のために、真剣に意見交換をしている。こうして直接利用者と対話することは、治療のみならず、人としていろいろ学べて、大事な機会だと思う。」と述べています。

このようなユーザー・デモクラシーは、各組織内で活用されるのは当然ですが、ときには中央の管轄庁まで話し合われた議題が届くケースもあります。こうしたデンマークに見られる公民協働政策は、「昨日より今日、今日より明日」と日々一歩ずつ社会を向上させていくために、大いに貢献しているように思われます。

⑸ 家庭内のデモクラシー

子育て世代のニールセン一家は、パパのピーター（42歳）とママのアンナ（40歳）がフルタイムで会社勤務、そして4歳のウイリアム君は保育園、7歳のイダちゃんは小学校と学童保育、とそれぞれバラバラに一日を過ごしています。一家は、毎朝7時半に家を出て、それぞれの目的地に向かいます。夫婦共働きが当たり前のデンマークでは、家族全員の行動を皆が把握するためには、丁寧な打ち合わせが必要です。

そのため日曜日の晩ともなると、パパとママは、これから始まる一週間に、出張やイレギュラーなミーティングや約束事が入っているかなど互いのスケジュールを突き合わせ、ウイリアム君の保育園送迎を誰がするか、二人とも無理なら祖父母に頼むか、夕食は誰が用意するかなどを話し合います。夫婦間で十分対話が持たれていないと、保育園の迎えがない、夕食が用意されていないなど日常生活が大混乱に陥ってしまいます。キッチンの壁には、パパ・ママそして子どもたちの一週間のスケジュールが記載された「ファミリーカレンダー」が掛かっていて、日々の行動が一目でわかります。子どもたちには、朝食の席でその日の流れを話します。特に両親の不都合で保育園の送迎を祖父母など第三者に頼むような場合は、幼児にも前もってきちんと伝えることが大切です。

ファミリーカレンダー

デンマーク人は、自分を差し置いて自分のことを決められるのを好みません。ですからどこの家庭でも、親がすべてのことを決めるのではなく、子どもも参加して、話し合いで決めるように心がけているのです。さもないと、あとで、「聞いていなかった！」と子どもたちから不服申し立てが出てくることもあり得るのですから。

三．国民負担と公平さ

本著の執筆作業が終盤に差しかかったころ、ＮＨＫのテレビニュースで、日本の国民負担率が47・5％（令和4年度実質見込み）になったことが報道されました。それを聞い

国民負担率の国際比較（OECD 加盟 36 カ国）

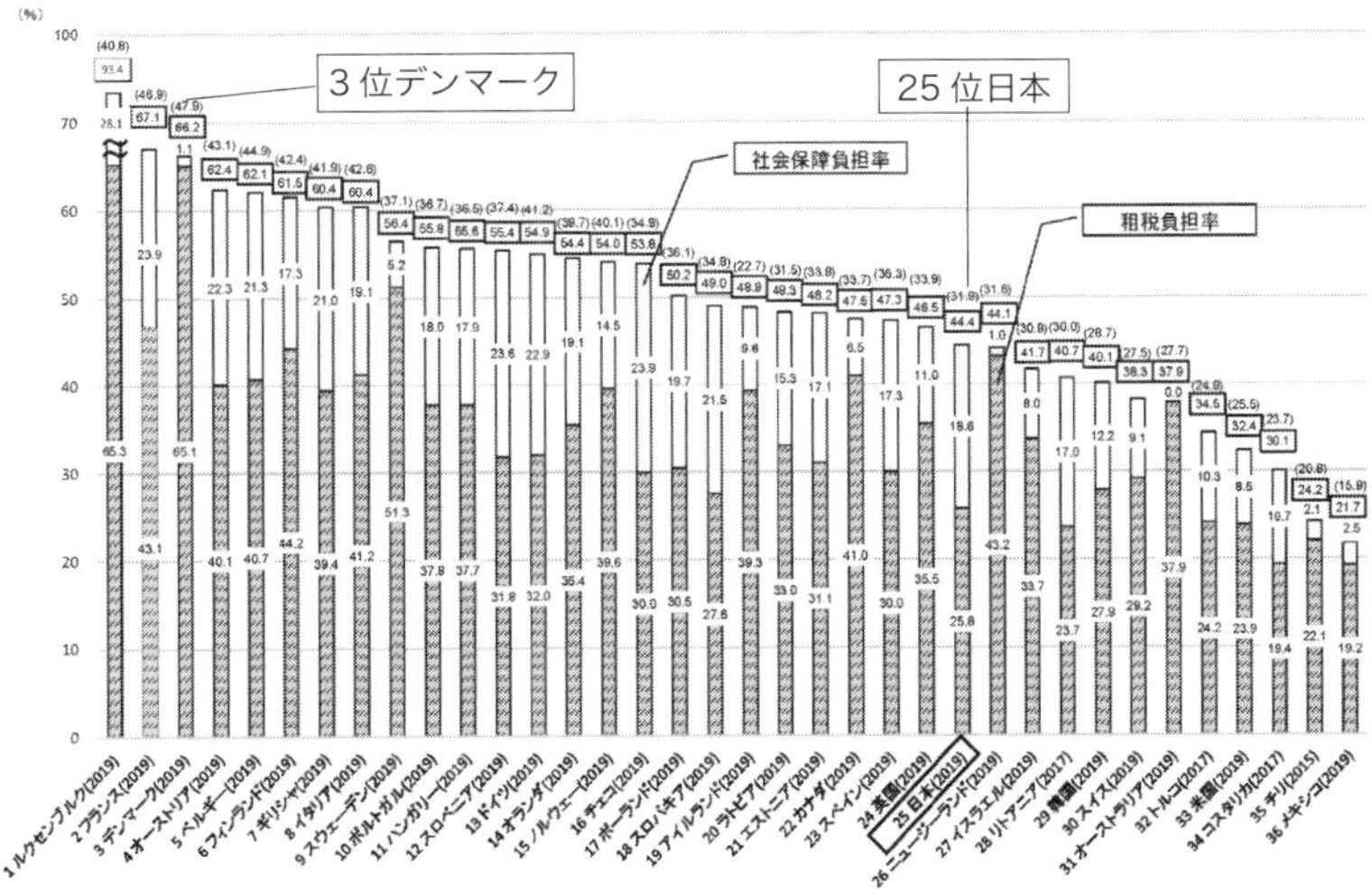

（出典 日本：内閣府「国民経済計算」等、諸外国：OECD “National Accounts”）
財務省ホームページより（2023 年版）

た時の私たちの反応は、「あら、日本も意外に負担率が高くて、実質的には北欧諸国とあまり変わらないかもしれない。」というものでした。ただ国民負担率という言葉は、毎年財務省が発表するので日本ではよく使われていますが、デンマークではあまり耳にしない言葉です。念のため調べてみたところ、「国民負担率は、個人や企業の所得などを合わせた国民全体の所得に占める税金や年金・健康保険・介護保険など社会保険料の負担の割合を示すもので、公的な負担の重さを国際比較する際の指標の一つにもなる」とありました。（ＮＨＫサクサク経済Ｑ＆Ａ）

この発表を受けて、「国民の負担がこんなに増えた！」という論調のメディア報道がかなり目立ち、中には「……この状況はまさに平等を目指す社会主義的な国といえる。」と評した人もいれば、「防衛増税も取りざたされる中、世間では江戸時代の五公五民と同じなどと嘆きの声も」と伝えた新聞もありました。

ただ財務省のホームページに記載されていた国民負担率ＯＥＣＤ加盟36カ国の国際比較（２０２３年）を見ると、日本は25位（税負担25・８＋社会保険料負担18・６＝44・４％）で、一位ルクセンブルク、２位フランス、そして３位はデンマーク（税負担65・１＋社会保険料負担１・１＝66・２％）でした。やはりデンマークの国民負担率は、日本よりはるかに高く、またそのほぼすべてが税負担である点も、日本とは大きく異なります。

本著で触れているように、デンマークは「高福祉・高負担」社会で、税負担が重いことは国民だれもが承知しており、よっぽどのことが起きない限り、不満を訴える人はいません。それは、政治・行政への国民信頼度が高いことにもよりますが、集められた税金が、正当に分配されていることを国民が納得しているからでもあります。正当な分配とはどういうことかを考えてみると、それは、「どこにでも同じように、誰にでも同じように」ではなく、「必要としている所、必要としている人により多く」分けることであり、また「高所得者がいて結構、ただしその人たちは、低所得者より税負担が重くなるのは当然」ということです。

日本人が国民負担率の発表にかなりネガティブに反応するのは、①消費税率に見られるように、税率が徐々に上がり国民の税負担が増えている、②その税金の使い道がどうも不明、③子どもの養育・教育費、医療費、出産費用など自己負担額が家計を圧迫している、にもかかわらず、④期待しているようなサービスや見返りが得られていない、と感じている人が多いからではないでしょうか。政治・行政への信頼度が低いことに加えて、分配の仕方（同世代の富める人と貧しい人、高齢者世代と現役世代）に不満を抱いている人も多いように思われます。

デモクラシー社会では、「公平さ」も大切な要素ですが、その公平さに関して次のようなエピソードがあります。

＊デンマークの介護付き高齢者専用住宅に住むAさんと隣人のBさんは、全く同じタイプの住宅で暮らし、市の在宅介護サービスを受けています。Aさんは国民年金以外の年金収入があって、月々の家賃は5000クローネですが、Bさんの収入は国民年金だけで、家賃はAさんの半額2500クローネです。

Aさんは、「月々の手取り金額は、私の方が多いと思うし、これでいいのよ。」といいます。けれどこのエピソードを日本からきた研修生に語ると、おおかた「それは不公平ですよ！」という反応が返ってきます。公平さ一つとっても、国により解釈が異なるようです。

四．多様性と平等

最近日本では、「多様性」や「ジェンダー平等」といった言葉がよく聞かれるようになりました。そこで取り上げられているテーマは、性的マイノリティに関するものが多いようです。「個」「自分らしさ」を尊重するデンマークでは、すでに20世紀半ばごろから性的マイノリティの人権問題への関心が高まり、1989年には、世界ではじめて市役所での婚姻登録（同性登録婚）が認められ、さらに2012年には、教会で結婚式を挙げること（同性法律婚）も認められるようになりました。そのため、現在のデンマーク人にとっては、この分野の多様性を特別なものとしてではなく、数ある多様性の一つと捉えているようです。

デンマーク社会の多様性は広範囲に見られますが、家族形態を例にとってみると、シングル・法律婚・事実婚などがさらに細かく分かれており、デンマーク統計局は、これらを37種類に分類しています。また子どもの立場からすると、法律婚や事実婚で生まれた子ども、養子縁組で親子関係を結んだ子ども、同性法律婚や事実婚カップルがドナー提供を受けて生まれた子どもなどさまざまですが、どのような経緯で生まれたにしても、すべての子どもたちが、社会的に何の不利も差別もなく、同等の権利を有しているのです。そして大半のデンマーク人は、このような多様性は、他人があれこれ干渉する事柄ではないと考えています。ちなみに婚外子の割合は54・20％で、日本の2・40％とは大きく異なります。（2020年OECD調査）

デンマーク社会の多様性は、教育現場にも見られます。ハーバード大学教授・心理学者のハワード・ガードナー（Howard Gardner、1943年生まれ）が唱えた多重知能理論（8つの知能）では、論理・数学的知能のほかにも、語学的、視覚的、音楽的、身体的、対人的、内省的、博物的といった多くの知能があり、一人ひとりの子どもが持っているさまざまな知能を多角的に引き出すことを推奨していますが、デンマークの教育現場でも、一人ひとりの子どもの成熟度や得意・不得意分野を見極めて、一人ひとりの子どもに最も適した教育を提供することが、教師の役目とされています。一クラスに25人の生徒がいれば、25通りの教育があってもおかしくありません。25人の生徒全員に同じ教育を提供することは、平等に見えて、実は平等でないという考え方です。

「持っている素質や成長が違えば、おのずと受ける教育や指導も違ってくるはず。しかし、教育を受ける権利は、誰もが同等に持っている。」これがデンマークでいう平等な教育です。

日本には「出る杭は打たれる」ということわざがありますが、これをデンマークの教育に置き換えたとしたら、「出る杭は打つのではなく、出る杭は育てよう！」となるでしょう。自分の価値を見出し、自己肯定感を強め、自分の人生を自分で決めることができる若者が一人でも多く育つことが、国の発展に繋がると考えられているのです。

第五章

異文化をくらして

著者近影
左：小島ブンゴード孝子、右：澤渡夏代ブラント

一．アイデンティティってなんだろう

(1) 孝子のアイデンティティ

●アイデンティティとは?

「アイデンティティ」という英語は、日本でもよく使われていますが、この意味を深く考えたことのある人は、どれだけいるでしょう。そもそもアイデンティティとは、一体何なのでしょう。自分もよくわからなかったので、辞典などいろいろ調べてみたのですが、その中で一番ストーンと腑に落ちたのは、アメリカの精神分析学者Ｅ・Ｈ・エリクソン（Erik Homburger Erikson、１９０２－１９９４年）が出した社会学的な定義でした。彼は、『変化する環境の中にあって、自分がいろいろな役割を演じるとき、そうしたさまざまな「私」をまとめる「変わらない自分」というものがあり、それが私のアイデンティティなのだ。』といっています。

正直なところ、私は青年期に、自分のアイデンティティについて考えたり、悩んだりしたことはありませんでしたが、デンマークに移ってからは、時あるごとに考えるようになり、今でもふと、自分は誰なのかを、自分に問うことがあります。

●国際結婚

結婚当初よく頭をよぎったのは、「国際結婚で海外に住むようになると、人は浮き草のような状態になるのだろうか。」ということです。唯一変わることのない確かなこと、それは、私が「日本人」であるということ。それしかない。「けれど、デンマークと日本という異文化社会を行き来する人生を選んだ以上は、どちらの地にも根を深く張ることなく、ゆらりゆらりと動いて、どちらの社会にも順応できるようにすれば良いのかもしれない。」と思ったのです。そういう人生は、見方によっては根無し草のようで、少々わびしく感じられるかもしれませんが、反面、少し見方を変えると、国境を越えて自由に飛び交う渡り鳥のように、翼を与えられたようにも思えます。

●日本人とデンマーク市民

子どもが生まれ、小さいながらも家を持ち、仕事をするようになると、当初抱いていた「浮き草」のような気持ちは次第に薄れて、デンマークが「私の生活基盤、居場所」という感覚が強まってきました。デンマーク語が日常生活に占める割合も増え、デンマーク語で考えることや、夢を見ることも多くなりました。そのころ思ったことは、私もいよいよ本格的に、デンマーク市民の仲間入りをしたということです。デンマーク人ではないけれど、彼らと同じように税金を払い、社会の一員として義務や責任を果たし、権利も得ていると実感し、「デンマーク市民」というもう一つのアイデンティティを得たと思いました。

●国籍

デンマークに住んで5年ほど経ったころ、私は永住ビザを取得しました。そして希望すれば、デンマーク国籍を取得することも可能になりました。デンマーク国籍を取得するということは、日本国籍を離脱することを意味します。私は、自分にとって絶対的なアイデンティティである「日本人」を捨てることなど、到底考えられませんでした。そしてその気持ちは、半世紀経った今も、全く変わりません。

私の二人の娘は、生まれてすぐデンマーク国籍を取得しましたが、両国の国籍法が改正されたことで、希望すれば、彼女たちにも、日本国籍が取得できることになりました。当時の私の戸籍謄本には、私が結婚した事実は記載されていますが、子どもたちの存在は全く記載されていません。つまり、私が娘たちの母親であるという確かな事実が、日本社会では、どこにも記録されていないのです。「これはおかしい！」と思った私は、すぐ娘たちの日本国籍取得手続きを取り、私が筆頭者の新戸籍に、ようやく娘たちの出生が記載されました。メンタリティーは完全にデンマーク人だと思って疑わない娘たちにしてみれば、日本国籍の取得は、さほど重要なことではなかったかもしれません。むしろこれは、私にとって、非常に重要な意味を持っていたのでしょう。

●日本とデンマークの往来

仕事の関係で、デンマークと日本を頻繁に往復する生活が続きました。日本に向かうときは、日本の家族や友人たちが待ってくれている母国日本に帰ると感じ、デンマークに戻るときは、夫や娘たち家族が待ってくれている生活基盤のデンマークに帰ると感じる私でした。デンマークでの生活が、日本で暮らした年数をはるかに超えても、「帰る」気持ちの比重は、一対一の拮抗状態が長い間続きました。

●同じ孝子が、違う孝子に

日本に夫同伴で里帰りし、親交のある知人と再会したある日、夫がふとこんなことを呟きました。「孝子と一緒に日本にきて、たくさんの人と会っていると、孝子がデンマークにいるときとは、どこか違うなと感じることがよくある。君のしぐさ物腰や全体の印象が、自分では多分気づいていないだろうけど、ぐっと日本人らしくなるよ。」演技しているわけではなく、ごく自然にふるまっている私なのですが、夫には、いつもの私とは少し違って映るようです。

ただこれは、日本滞在中に限らず、デンマークで私が日本人と接しているときにも見られる現象だと彼は語ります。私が日本語で話していると、自然と日本人らしくなり、デンマーク人とデンマーク語で会話していると、何となくデンマーク人っぽい口調やしぐさになるようです。言語を使い分けるたびに、2つのアイデンティティが微妙に比重を変え、シーソーのように揺らぐのでしょうか。

●近ごろ思うこと

私たち夫婦は、60代半ばに年金受給者（Pensionist）となり、一応デンマークでいう第三の人生（退職後の人生）に入りました。多くの同年輩のデンマーク人たちは、仕事人生をスパッと止めて、それぞれの趣味や関心事に専念したり、旅行を楽しんだり、家族や友人との交流を深めるなど、第三の人生を謳歌しています。デンマークでは、これがごく普通のシニアライフなのですが、どうも私は、仕事人生をスパッと切り捨てることができません。多分それは、これまでしてきた私の仕事が、私の2つのアイデンティティと切っても切れない関係にあるからかもしれません。

「デンマーク市民である日本人として、私にはまだすべきことが残っているはず。」という想い。これまで経験してきたことを、少しでも活かし、また残したい、という気持ちです。その一つが、日本社会へのメッセージ発信なのでしょう。中から見る社会と外から見る社会は、かなり違って見えるもの。日本人であるというアイデンティティも、一旦外に出てみると、その存在をより強く感じることができます。多くの日本の若者が、日本人であるという自分のアイデンティティを、一旦外に出て自覚する機会を是非持ってほしいものです。

今私は、在住邦人女性十数名で構成される歌の会の一員として、少女時代に口ずさんだ懐かしい日本の唱歌などを歌い、また仲間数名と小倉百人一首同好会を作り、それぞれの歌の意味や背景を学び、感想を出し合って楽しんでいます。このような活動を通して感じることは、日本語という言語の持つ音色の美しさや奥ゆかしさ、情緒のゆたかさ、千年以上も昔の日本に、すでに存在していた高い文化への畏敬です。

歳を取ると、人は母国語や生まれ育った土地の味覚に戻るといわれています。今まさにその現象が起きているのでしょう。「日本人」というアイデンティティが、ここにきて一層強まったように感じます。でもそれは、「デンマーク市民」というもう一つのアイデンティティを弱めることにはならず、こちらもまた、強まってきているようです。妙なものですが、「歳を取ると、自分のアイデンティティが一層強まる」のかもしれません。

●終活

近ごろは、日本でもデンマークでも、生前から終活を始め、自分の葬式をどう執りおこなってほしいか、また自分はどんなお墓に入りたいかを決める人が多くなってきました。実は、私たち夫婦も、第三の人生を歩み出したころ、人生最後まで、できるだけ家族に迷惑をかけず「自分たちらしくありたい。」という気持ちから、竟《つい》の住まいを自分たちで選んで移り住み、またそこからそう遠くない墓地に、将来のお墓スペースも選びました。10年の契約金を払って確保した私たちのお墓スペースは、広大な墓地の中でも特に明るく広々とした一画にあり、ここなら、家族が記念日にピクニックに立ち寄ってくれるかもしれません。契約更新は、私たちが健在なうちは私たちがして、いなくなったら、子どもや孫世代ぐらいまでは、手続きをしてくれるでしょう。そしてそのあとのことは、もう考える必要はないと思っています。

ただ私には、もう一つお墓があります。それは、両親が眠っている日本のお墓で、ここに私の遺骨の一部が里帰りすることは、以前から両親はじめ家族皆の承諾を得ています。これはあくまで計画で、実際このような筋書き通りになるかはわかりませんが、少なくとも、私は、私の中に存在し続けてきた「日本人」と「デンマーク市民」という二つのアイデンティティを、このような形で締めくくりたいと願っているのです。

⑵ 夏代が思うアイデンティティ

● 日本人と日本語

私は、「アイデンティティ」と書き始めたものの、「はてさて、これをきちんと日本語にしたら、何というのだろう。」としばらく考えをめぐらせていました。

「私の個性?」でもないし、「私の身分」でもないしと、ぴったり当てはまる日本語を探してみましたが、どれもしっくり当てはまらず、納得いきません。

それでもふとデンマークにいる私を見つめてみると、一歩家の外に出た私は、周囲から「日本人」と見られることに、内面、常に「日本の恥にならないように」と日本を背負っている意識があることに気づきました。これは、多分、海外に住む多くの日本人が共有する心情かと思います。そのようなことを思い描きながら、私がたどり着いた私のアイデンティティとは、「自分らしさ」という解釈です。そして、私にとってこの「自分らしさ」を保持するには、「日本人」ということと、「日本語」が基本にあり、この二つが私を支えている「私のアイデンティティ」と納得できました。

●私は日本国籍、子どもはデンマーク国籍

私は、デンマーク生活が50年以上も経った今も、日本国籍を保持し、それをデンマーク国籍に変更することをかつて一度も考えたことがありません。この赤い日本のパスポートを持って、日本に帰り、デンマークに戻るという生活を続けています。

よく人からは、「そんなに長くデンマークに住んでいて、なぜデンマークの国籍を取らないの?」と聞かれますが、逆に「なぜデンマーク国籍に?」と問いたいほどです。私は、日本で生まれ、日本で育ち、日本語で成人したことが「私の土台」だと思っているからです。

現在デンマークに住み、デンマーク人と結婚した70~80歳代の年配の日本女性の中には、日本国籍を離脱し、デンマーク国籍に変更した方が結構いるようです。その事情を聞くと、彼女たちの子育て期には、二重国籍制度がなく、生まれた子どもは父親のデンマーク国籍となり、何かの理由で夫婦が離婚に至ったときに、母親は、子どもを伴って日本に帰国が困難だったことが、国籍を変更した最大の理由だったそうです。

現在の日本の国籍法では、二重国籍を取得することができますが、条件として、二重国籍になったときが20歳未満であれば、22歳までにいずれかの国籍を選択する必要があります。この法改正は、デンマークで1979年、日本は、その5年後の1984年に父母両系血統主義に改められ、法改正以降に誕生したデンマーク人と日本人との間に誕生した子どもは、二重国籍を持つことが可能になりました。

なお改正以前に誕生した子どもに対しては、申請することで二重国籍の所有が可能になった、と記憶しています。

年配の日本女性から、離婚に至ったときを想定してデンマーク国籍を取得したという話を聞くと、私は、慎重派でもなく、また事情に精通していなかったのか、「離婚の危機」の備えとか、国籍を変更するメリットなど一切考えたことがなかった自分に気がつきました。

私の3人の子どもは、3人とも1979年以前に誕生し、デンマーク国籍ですが、申請すれば日本国籍を取得し、22歳までは、二重国籍でいることが可能だったのです。しかし、私たち夫婦は、敢えて、そのサービスを受けずに、彼らをデンマーク国籍のみで成長させることを選びました。私たちの当時の考えは、22歳までに二重国籍から一国籍を選ぶ必要があり、どちらにするか彼らが悩むのではないか、と案じて、彼らの「アイデンティティ」としてデンマーク国籍だけでよい、と決着をつけました。私は、子どもたちがデンマークで生まれ、デンマーク人の父親をもち、デンマーク国籍であることに、いささかの疑問も持っていませんでした。

●日本語と私

また、私がデンマーク社会にいて日本人であり続けることは、3人の子どもたちと日本語で向き合う、ということにも大きく影響しているようです。長男が誕生したころは、私のデンマーク語は未熟で、とてもデンマーク語で子どもを育てる自信が無かったこともありますが、それよりもなによりも、日本語は、私のもう一つの大切にしている「私のアイデンティティ」なので、日本人の私がデンマーク語で子育てをすることに、大きな違和感がありました。私は、子どもたちに日本語で日本の絵本を読み、日本の童謡をたくさん歌って育て、かなり日本語漬けにしていたかもしれません。そんな私の母親ぶりに、子どもたちは、拒否することなく日本語を習得し、父親とはデンマーク語、母親とは日本語というように、家庭内に二つの言葉が交差する生活でした。これを貫くことができたのは、夫をはじめ周囲の暖かな協力と理解が不可欠だったことはいうまでもありません。

子どもたちが幼かった70〜80年代は、デンマークにいて日本語を話す・聞くというチャンスが、そう大きくありませんでした。今の時代は、衛星放送やインターネットで日本語を聞く機会が拡大され、日本のニュースも、リアルタイムでキャッチすることができます。その日本の放送を聞いていると、公共放送のニュースでさえ、英語の単語がカタカナで表現され、日本語が耳障りするほどに大いに乱れている、と実感しています。

日本人は、日本語という自国語をもっと尊重して大切にしてほしい、とカタカナ文字が散乱した日本語を聞くたびに、一人でため息をついています。

私は、デンマークの地に根を下ろし、デンマーク国籍に変更せず、「永住権」を以って、日本国籍のままデンマーク社会で生きていることに何の支障もなく、社会的権利は、デンマーク人と平等に受けることが可能です。ただし、自治体の市議会選挙に投票権がある一方、デンマークの国選に投票権はありません。これは納得の範囲です。その反面、私には日本の国政選挙に在外投票することができます。在外選挙が可能になったのは、２０００年5月以降の国選からですが、このことは、さらに私の日本人としてのアイデンティティを高めたと思います。

私は、私がどんなにデンマーク語を使ってデンマーク社会に溶け込んでいても、デンマーク人ではなく、日本人である私は続いていきます。日本人としてデンマーク社会で私らしく生きることが、私の大事なアイデンティティだと頷いています。

二．私たちのデモクラシー

(1) 夏代の場合

デンマーク生活を始める以前の私のデモクラシー感は、ごくシンプルで「何かを決定する時の多数決法と代表を選出する際の選挙」程度の知識しか持ち合わせていませんでした。「デモクラシー？　民主主義？」それは、政治の世界の言葉だとさえ思っていたかもしれません。

私がデンマークに住み始めた当初は、新生活にひたすら慣れることが精一杯で、まだデモクラシーの右も左もわからないまま、過ごしていました。しかし、徐々に日々の暮らしの中で、夫や夫の家族そして友人たちとの会話の中で「あなたはどう思う？」「あなたが決めればいい。」という言葉が頻繁に聞こえて、それが私自身の存在を肯定されたように感じました。さらに、日本で慣れ親しんできた男女の立ち位置、人間の上下関係などの生活習慣にも大きな違いがあることに気づき、少しずつ「デモクラシー」という言葉のもつ意味を理解するようになりました。そのいくつかのエピソードをつづってみようと思います。

ある日、完璧に理数系の夫は、理数系を最も不得意とする私に、「君が数学好きだったならば、一緒に難題を解けたのに……。」と、さも残念そうに口にしたことがあります。当時の私は、まだ日本的な男女の立ち位置の意識が残っていましたから、夫の望む「夫婦で同じ位置に立って考えるって?」という彼の平等の姿勢に、少なからず驚きを覚えました。

さらに夫が、スーパーで食材を買い、台所に立ち料理を作る姿を目にして、「男子厨房に入らず」などの言葉が、まだ頭の隅に残っていた私にとっては、少々の違和感さえ、感じていました。しかし、それも「やりたい人がやれるときに」台所に立つことが、ごく当たり前のことだとわかるには、たいして時間がかかりませんでしたが。

また、夫の母から、「平等」ということを学びました。義母は、若いころに洋服の縫製の仕事に就いていましたが、歳を重ねてからは、オーバーコートなどの大きな物は縫わなくなり、ミシンを踏むのは、自分のワンピースを縫うときくらいでした。そして時折、娘(夫の妹)と義理の娘の私にスカートを縫ってくれました。当時は、膝上のミニスカートが流行していて、義母は、私たちに「ミニスカートを縫ってあげようと思っているけれど着るかしら?」と問いかけたあとで縫い上げてくれました。私は、義母が自分の娘と義理の娘の私を常に同じように接してくれたことがとても嬉しかったのです。

クリスマスや誕生日のプレゼントに関しても気づきがありました。デンマークでは、このような家族の催事には、プレゼントを用意するのが習慣ですが、義母は、大人も、生まれたばかりのベビーも一律の金額の贈り物を用意しました。私は、その時、日本では、往々にして年齢によって金額が違う正月のお年玉の光景を思い出し、デンマークならきっと同じ金額を封筒に入れるだろうと思いました。

そして、家の外では、他の気づきがありました。まだ、私が仕事に就いていないころ、日本の友人からデンマークの会社に「お使い」を頼まれたことがあります。友人はある医療雑貨を取り扱うデンマークの会社の商品に興味があるので、サンプルを貰ってきてほしい、という用件でした。私は、デンマークの企業事情も知らず、言葉にも不安がありましたが、たどたどしいデンマーク語で電話をかけ訪問を依頼すると、先方は快く受け入れてくれて、第一段階突破でほっとしました。

当日約束の時間に訪問すると、中年の男性がレセプションに迎え出てくれて、重厚な趣の会議室に案内され、椅子を勧めてくれました。テーブルの上にはすでにパンフレットとサンプルらしき物がきちんと用意され、コーヒーカップも準備されていました。私はとっさに「女性のお使いなのに親切だな。」と思わずにいられませんでした。そんな私の心の内は露知らず、彼は「コーヒーですか、又は紅茶ですか」と、コーヒーポットと紅茶用の湯が入ったポットとティーバックを指さして、どちらがいいのかを聞いた上で飲み物をカップに注いでくれました。そして自己紹介により、受付で出迎え会議室まで同行し、コーヒーを注いでくれ、今私の前にいる人が150人のスタッフを持つ経営者本人だということがわかり、私は少なからず驚きを感じました。

私は、このエピソードの数年前に短期間であっても日本の会社勤めの経験があり、そこでは社長自ら応対に出ることは稀でしたし、ましてやお茶を淹《い》れることなど考えられませんでした。

その後、私のデンマーク生活も年月を増し、私のデンマークの知識も豊富になったかのようだった時期に、今度は仕事上で、「さすが」と驚きと感嘆した出会いがありました。

私は、日本の公共放送の仕事で首都コペンハーゲン近郊の警察署長を取材で訪問したことがあります。彼は、警察署長になる以前は警視庁に勤務し、秘密警察で重要なポストにあり、いくつもの国際的な事件に大きなはたらきをした経歴の持ち主です。私の頭の中では、すっかり「鬼刑事」的なイメージができあがっており、その上、その当時325名の職員の長という立場にひるむものを感じていました。まず電話で取材の申し込みをしましたが、運悪く数回とも連絡が取れず、秘書の求めに応じて、私の電話番号を知らせておきました。

それから間もなく、「J・Bですが、ご連絡をいただきましたか。」と警察署長ともいわず、直接本人から連絡が入りました。取材が受け入れられ、まだひるむ心を抱きながらも大きな建物の奥にある署長室に足を一歩踏み入れると、鬼刑事のイメージとはほど遠い笑顔の優しい初老の紳士が進み出て、私に握手を求めてきました。署長室のソファーを勧められ腰を降ろすと、用意してあった飲み物を署長自ら注いでくれ、チョコレートも勧めてくれました。この時は既に、どんな「エライ人」でも自分で接客することは承知の上だったので、別に驚くことはありませんでしたが、取材が終わり、別れの挨拶をして踵《きびす》を返す私に、「正面玄関まで送りましょう。」といわれたときは、わが耳を疑いました。そして実際、署長は時折行き交う職員と言葉を交わしながら私を玄関まで送り、ドアを開けて見送ってくれたのです。警察署長という、ともすれば「威厳さ」をなびかせかねない立場で、彼の当たり前というさりげない対応は、改めてデンマークの対人との距離の少なさを痛感した日でした。

これらのエピソードは、私が「人と人」が向かい合う時の「尊重」と「平等」を感じたデモクラシーの一編で、当時の私にはとても新鮮だったのですが、今思うには、このような光景はいつでもどこでもフツーにデンマーク社会で見られると実感しています。

さらに、もう一つは、デモクラシーの精神がどのように若者に継承されていくのかを知ったエピソードです。それは、何年も前の話ですが、長女の高校の卒業式に参列したときです。卒業式のすべてのセレモニーは、校長自らが進行役を担っていましたが、卒業証書も渡し終え、終盤にさし掛かったとき、校長は少し神妙な顔つきで、卒業生を前にして「君たちが今生きている社会は、民主主義社会で、それは一夜で築かれたわけではありません。それは、君たちの両親、君たちの祖父母たち、そして曾祖父母たちが創り上げてきた社会です。そして、この社会を保持していくのは、君たちの責任です。大事にしていきましょう！」と結びました。私は、校長のこのスピーチが、未来を担う若者たちに国民的価値観の再認識と責任を祝辞に託して伝えたことに、深く感銘を受けました。

私は、デンマーク社会でいろいろと感じること、考えることがありましたが、やはり私にとって家族・友人を含むデンマーク社会が、日本人の私を何の躊躇もなく自然に受け入れてくれたこと、そして日常生活の中で、何の差別もなく、デンマーク人と同等の社会サービスを受ける権利があるということが、何といっても私にとって、一番のデモクラシーだと思います。

⑵ 孝子の場合

私は、30代はじめから約30年間、デンマークと日本両国間のビジネス関連通訳や翻訳を主な仕事としていました。そのころ仕事を通して体験したデモクラシーのエピソードを２つ紹介します。

その一つは、ある日本企業が、デンマークの一中小企業が持っている特殊技術に注目し、企業買収交渉に臨んだときのことです。両社はそれぞれ通訳を介して、数カ月間交渉を続けました。私はデンマーク側の通訳として、デンマーク人の社長・専務・営業部長・弁護士からなる先鋭チームに加わりました。早くも初回ミーティングから、チームメンバーたちは、日本のビジネス文化、日本人の表現方法、表情の持つ意味合いなどについて是非教えてほしい、と私にアドバイスを求めてきました。

この要請は、チームメンバーの発言を日本語に訳して先方に伝える通訳本来の仕事をはるかに超えるもので、当初は大いに戸惑いました。しかし4人のトップビジネスマンが、私を通訳としてだけでなく、日本通のビジネスアドバイザーとして認めてくれて、メンバーの一員として同等に扱ってくれたことで、私のモチベーションは数倍も高まったように思います。その後、この5人編成チームは、交渉に臨む前の戦略会議でも和気あいあい意気投合し、チームの団結力で、長期にわたる交渉を乗り切ることができました。当時を振り返ってみて、これほどハードかつ楽しく、満足度の高い仕事はなかったように思います。

もう一つのエピソードは、北海道の財界トップT氏をコアとする産官学グループのデンマーク研修です。「21世紀に向けて北海道がさらなる発展を遂げるためには、百年以上前に北海道が多くのことを学んだデンマーク社会について、もう一度原点に戻って多方面から学びたいので、是非協力してほしい。」という依頼が入りました。あまりの壮大な企画に愕然としましたが、「当たって砕けろ」で仕事を続けてきた以上、断る理由がみつかりません。二人三脚で仕事をしてきたデンマーク人の夫と話し合い、引き受けることにしました。

研修の出発点は、農業と農業関連産業で、「酪農国として知られていたデンマークが、どうやって近代農業を築き、関連産業を発展させ、国際的にも有数の輸出国になったのか、その原動力は何か。」でした。

農家、農業学校、精肉加工工場、酪農製品工場、農業協同組合、関係各省などを視察訪問していくうちに、T氏は、「デンマーク社会をしっかり理解するには、どうも教育や歴史も学ぶ必要がありそうだ。」と考え、その後は、社会ネットワーク、教育、デンマークの歴史、特に啓蒙教育や民主化に大きな影響を与えたグルントヴィーや、農地開拓に力を注いだダルガスなどをテーマとする研修が組まれました。

多くの専門家にヒアリングし、現場にも足を運んで見えてきたのは、デンマークのフラットな社会構造と決定プロセス、そして地方自治と市民の啓蒙教育や自治活動でした。

そして最終的に、T氏がどうしてもしっかり理解しておきたいと願ったのは、この国のデモクラシーでした。アメリカのデモクラシーと同じなのか？ もし違うなら、デンマークのデモクラシーは、どんなものなのか？ 日本も「民主主義の国」といわれるけれど、本当にそうなのだろうか？ これらの問いは、そう簡単に回答が得られるものではありません。もしかすると、永遠の問いであるかもしれません。

コーディネートを任されていた私たち夫婦は、頭をかかえました。その時ふと夫が思いついたのは、当時出版されたばかりの、デンマークにおける成人教育５００年の流れをひも解く一冊の分厚いデンマーク語の本でした。「デンマークの社会や人びとを動かす（啓蒙の光）はどこから来るか」を解き明かすこの本は、“Battle of the light”（デンマーク語：Kampen om lyset）というタイトルで、著者は民主主義・成人教育・国民高等学校・教育哲学の専門家で大学教授のオーベ・コースゴー氏（Ove Korsgaard、１９４２年生まれ）。T氏は、どうしてもこの本を読みたいという強い願望を捨て切れず、とうとう本の日本語訳を依頼され、数カ月後に完成した日本語版を熟読した上で、翌年の研修に臨みました。

そして4年目の研修時に、私の通訳を介したT氏とコースゴー氏の対談が実現しました。問答のテーマは、「デンマークの光はどこから来たか」そして「デンマークのデモクラシーとは」でした。喜寿を迎えた小柄なT氏の瞳は、まるで喜びを隠せない若者のように輝いていました。2時間以上にわたるヒアリングは、あたかも禅問答のようで、通訳の私は、休む暇なく二人の対話に集中していました。当然筆記する暇などなく、録音データも残っていません。今となっては、詳細内容などまったく覚えていませんが、コースゴー氏が語った一つの答えは、日本人のT氏と私にとって衝撃的なもので、今でも脳裏に焼き付いて離れません。それは、「多数決でものごとを決めることをデモクラシーと考えている社会や人びとが多いが、それはあくまでもデモクラシーの一片に過ぎない。デンマークのデモクラシーは、ある意味真逆で、いかに少数派の意見をよく聞き、汲み取り、反映できるかをとことんん話し合い、考えて、ものごとを進めていくことだ。そのプロセスがデモクラシーであり、どうしても話し合いで解決策が見出せないときの最後の切札が、多数決である。」というものです。

対話を終えたT氏の顔には、数回にわたって学んできた「デンマーク社会のありよう」に対する一つの答えを得ることができた安堵感と満足感が浮かびましたが、また同時に、一抹の不安げな表情も読み取れました。

それは、「では、日本のデモクラシーとは何なのか。これからの日本は、北海道は、どう歩んでいけばよいのか。どこから光がくるのか。」という問いかけであったかもしれません。このときの体験が、20年以上経過した今、偶然にもこの本に繋がるとは、当時は想像すらしませんでした。

あとがき

私たちは、長年にわたり、デンマークの社会福祉・教育・子育てや人びとの生き方などについて日本に向けて発信してきましたが、これらの根底に流れているデンマーク独特のデモクラシーについては、面と向かって語ることを控えてきたように思います。しかし、世界的にデモクラシーの定義が大きく揺れている今、デンマークのデモクラシーを私たちがテーマとして取り上げることは、この国を理解する上で重要であると同時に、日本の皆さんに、「ああ、こういうデモクラシーもあるのだ。」というインスピレーションを与えることにも繋がるのではないかと思ったのです。

ただこのテーマは、非常に大きく、またどこか漠然としているため、「わかりやすく伝えよう。」という私たちの当初の意気込みは、何度か壁にぶつかり、なかなか筆が進まない日もありました。また本書が3冊目の共著であっても、文体や生活リズムなどが異なる二人の共同作業は、決して楽なプロセスではありませんでした。それでも、ここまで辿り着くことができたのは、二人が共通した価値観を持っていることと、常に「対話」を絶やさず作業を進めてきたからでしょう。

私たちは、日本の方たちにデンマークの話をする機会が多いのですが、そのようなとき、必ずといってよいほど、「デンマークは人が大切にされていて、安心して生活できる国ですね。でも、問題はないのですか？」という質問を受けます。そのたびに、「確かに安心して生活できる社会だと思いますが、デンマークは、決してユートピアではありません。いろいろ複雑な社会問題を抱えています。」と答えています。

最も深刻な社会問題は、やはり移民問題だと思います。これはデンマークに限らず、ヨーロッパ全体の問題でもありますが、現在デンマークでは、西欧諸国を除く国から移住してきた労働移民、そしてその大家族、この国で生まれ育った移民二世・三世、そして近年非常に増えている難民が、総人口の約10％を占めています。その多くは、トルコ・パキスタン・北アフリカや中近東諸国からの人たちで、イスラム教徒が多く、文化も価値観も育った生活環境も違います。キリスト教とデモクラシーを基盤としている社会に馴染むことは、決して容易ではありません。

歴代の政府は、これらの人びとが一日も早くデンマーク社会に溶け込めるように、さまざまな融合政策を打ち出してきました。それなりの成果は見られるものの、解決できていない課題も山積しています。例えば、

・デンマーク人の中には、「異文化共存型社会は、国の経済発展や社会活性化に役立つ。」と主張する人たちがいる反面、「デンマーク社会はデンマーク人のもの。この社会に貢献しない外国人は母国に帰ってほしい。」といった排他的愛国主義の考えを持つ人もおり、それを主張する政党が半世紀前から出現している。（世論の二分化）

・移民二世・三世の若者たちが、就職時などに見えない差別を受けていると感じ、これが引き金となって、中には非行に走る若者もいる。

・これらの人たちが、都市の一定地域や集合住宅に集中して暮らす傾向が強く、ゲットー社会が存在している。（現在は、全国28カ所あったゲットーが15カ所に減少）

・中には、各自の伝統文化を重んじるあまり、デンマーク社会に溶け込もうとしない人たちもいて、特にその傾向が中高年の女性に見られる。

・これらの人たちが集中して暮らしている地域の学校の中には、生徒の過半数がデンマーク人でない子どもたち（彼らを二カ国語児童と呼んでいる）が占めているケースもあり、教育学的・文化的軋轢が生じている、などが挙げられます。

もう一つ気になるのは、利己主義的な考えを持つ人が近年増えてきているように思われることです。「個」がたいせつに育てられてきたことの一つの結果として、「私と私の家族」を最優先し、自己主張の強いマイマイ（MY-MY）主義の人が増えたように思われます。また「言論の自由」を盾に、他人や特定グループへの中傷が最近目立ち、極端な例だと、国家の安全を脅かすような発言や行動でメディアを騒がせることもあります。ここにきて「自由のはき違え」現象が顕著化しているように感じます。デンマークがこれまで築いてきたデモクラシーは、「個と社会のバランス」の上に成り立っており、このバランスは、個が好き勝手に行動するエゴイズムからは生まれません。21世紀の今、福祉社会デンマークのデモクラシーが揺らぎ始めていると感じて、警鐘を鳴らす人もいるのです。

ただ、このような課題があるにしても、デンマークに住む大半の老若男女は問題意識を持っており、政治や行政に携わっている人たちは、常に対話を繰り返しながら改善方法を模索し、また市民も「お上任せ」でなく、この対話に積極的に加わって動いている、と私たち二人は強く感じています。つまりデンマーク社会には、ハル・コック（Hal Koch、55ページ参照）が第二次世界大戦直後に語った「生活様式の中のデモクラシー」が、今なお活発に息づいているのではないかと。本著を二人で執筆していく中で、このことを改めて理解することができたように思います。

この本を出すにあたり、かもがわ出版を紹介してくださった奥田さが子さんに、まずお礼申し上げます。そして、私たちの出版趣意に即賛同してくださり、出版に向けて迅速な対応と協力を注いでくださった三井隆典氏に、深く感謝致します。

最後にもう一度、ハル・コックが語りかけた言葉を記し、筆をおきます。

権威主義国家では、決定がなされると反対意見は沈黙する。しかし民主主義社会では、あらゆる決定が相対的で、正しいことがらへの接近にすぎず、それゆえに、討議は止むことがない。

２０２３年　春　コペンハーゲンにて

小島ブンゴード孝子

澤渡夏代ブラント

paedagogiske_laereplan_21_WEB%20FINAL-a.pdf
https://emu.dk/dagtilbud/dannelse-og-boerneperspektiv/viden-og-inspiration/demokrati-og-medbestemmelse-i
https://trekloeveren.aula.dk/vangede-boernhus/dagligdagen
https://www.xn--brobkhus-m0a.dk/

二．義務教育で学ぶデモクラシー

Folkeskoleloven § 24 c（danskelove.dk）
https://www.uvm.dk/folkeskolen/organisering-og-ledelse/skolens-ledelse/skolebestyrelsen
https://skoleelever.dk/
https://www.skole-foraeldre.dk/artikel/elevr%C3%A5d
https://ja.wikipedia.org/wiki/%E7%94%9F%E5%BE%92%E4%BC%9A
www.skolevalg.dk/om-skolevalg/
https://www.ft.dk/da/aktuelt/nyheder/2021/10/skolevalg-valgresultat
https://www.aarhus.dk/demokrati/politik/raad-og-naevn/specifikke-maalgrupper/boerne-og-ungebyraadet/#:~:text=B%C3%B8rne%2D%20og%20ungebyr%C3%A5det%20har%2031,rigtige%20byr%C3%A5d%20i%20Aarhus%20Kommune.

第四章：生活の中のデモクラシー

https://dssnet.dk/artikler/cpr-nummeret-en-aegte-dansk-succes/
https://uwpress.wisc.edu/books/6031.htm
https://www.dst.dk/da/Statistik/emner/oekonomi/forbrug/elektronik-i-hjemmet
https://psykiatrifonden.dk/files/media/document/Psykiatrifonden%20sep%202019_Unders%C3%B8gelse%20smartphones%20og%20s%C3%B8vn.pdf
https://finansdanmark.dk/gode-raad/kontanter-og-betalinger/danskerne-fravaelger-kontanter/#:~:text=Stadig%20flere%20danskere%20frav%C3%A6lger%20kontanter,foretaget%20med%20kontanter%20i%202021.
https://www.stm.dk/presse/pressemoedearkiv/pressemoede-onsdag-den-14-december-2022/
https://folkemoedet.dk/om-folkemodet/nyheder/folkemodet-blev-stor-fejring-af-demokratiet/
https://www.kommunen.dk/serie/folkemoede
https://folkemoedemoen.dk/
https://www3.nhk.or.jp/news/special/sakusakukeizai/20200302/290/
https://www.mof.go.jp/policy/budget/topics/futanritsu/20230221.html

参考ホームページ

第一章：北欧の光

https://natmus.dk/historisk-viden/temaer/fester-og-traditioner/sankt-hans/
https://danmarkshistorien.dk/vis/materiale/digitaliseringen-af-danmark-efter-1968
https://ordnet.dk/ddo/ordbog?query=oplysning

第二章：デンマークの国のかたち

一．デモクラシーのあゆみ

https://da.wikipedia.org/wiki/Christian_Ditlev_Frederik_Reventlow
https://denstoredanske.lex.dk/landboreformer
https://danmarkshistorien.dk/vis/materiale/frederik-6-1768-1839
Fra enevældig helstat til nationalstat, 1814-1914 (danmarkshistorien.dk)
https://ja.wikipedia.org/wiki/ 身分制議会
Vejen mod grundlov og demokrati, 1830-1849 (danmarkshistorien.dk)
Stænderforsamlingerne 1834-1848 (danmarkshistorien.dk)
Grundlovskampen, demokrati og stemmeret, 1848-1849 (danmarkshistorien.dk)
Hedeopdyrkning, ca. 1750-1950 (danmarkshistorien.dk)
Hedeselskabet | lex.dk – Den Store Danske
Grundtvigs betydning for samfundet (au.dk)
https://grundtvig.dk/laer-grundtvig-at-kende-barndom-og-ungdom/skolen-for-livet-grundtvigs-skoletanker/
Økonomiske krise i 1873 - Wikipedia, den frie encyklopædi

二．近代デモクラシーの流れ

Arbejderbevægelsen, 1872-1940 (danmarkshistorien.dk)
Socialdemokratiet, 1871- (danmarkshistorien.dk)
Thorvald Stauning, 1873-1942 (danmarkshistorien.dk)
Kanslergadeforliget | lex.dk – Den Store Danske
Valgtema: Verdenskrigen og påskekrisen 1915-1920 (danmarkshistorien.dk)
Påskestrejkerne, marts-april 1985 (danmarkshistorien.dk)
https://danmarkshistorien.dk/vis/materiale/hal-koch-ordet-eller-svaerdet-1945

三．現代のはたらく人たちのデモクラシー

Kvindearbejde (leksikon.org)
Lars Kolind - Wikipedia, den frie encyklopædi

第三章：デンマークの「人のかたち」 こうやってデモクラシーは育つ

一．幼年期にめばえるデモクラシー

https://emu.dk/sites/default/files/2021-03/7044%20SPL%20Den_styrkede_

参考図書

生活形式の民主主義—デンマーク社会の哲学
ハル・コック著／小池直人訳　花伝社　2004年
デンマークの歴史
橋本淳編　創元社　1999年
デンマークのユーザー・デモクラシー
朝野賢司・生田京子ほか3名著　新評論　2005年
デンマークの女性が輝いているわけ
澤渡夏代ブラント・小島ブンゴード孝子共著　大月書店　2020年

Danmarks Riges Grundlov
Folketinget　2018
Hvad er Demokrati?
Hal Koch　Gyldendal　1960
Da demokrati blev til folkestyre
Tim Knudsen Akademisk Forlag　2001
Folk
Ove Korsgaard　Aarhus University Press　2013
Peoplehood in the Nordic World
Ove Korsgaard　Aarhus University Press　2022
Kampen om lyset
Ove Korsgaard　Gyldendal　1982
Kampen om folket
Ove Korsgaard　Gyldendal　2004
Grundtvig Rundt
Ove Korsgaard　Gyldendal　2018
Med japanske øjne
Carsten Bundgaard　EJC　2003

執筆者略歴

小島ブンゴード孝子（こじま　ブンゴード　たかこ）

1949年生まれ、1972年学習院大学英文科卒業、1973年デンマーク人ブンゴードと結婚。2女の母。在デンマーク日本大使館や日本関連企業勤務を経て、1983年ユーロ・ジャパン・コミュニケーション社設立。通訳・翻訳業に始まり、長年にわたり医療・福祉・教育・女性/労働問題などをテーマとする日本人向け研修を企画実施。日本では同時期に講演・「やさしい介護」セミナーを実施。2010年～2018年佐久大学信州短期大学部特任教授。現在も執筆・講演活動を続けている。

主な著書：

「福祉の国からのメッセージ、デンマーク人の生き方・老い方」1996年丸善ブックス（共著）

「モアーあるデンマーク高齢者の生き方」2002年ワールドプランニング

「福祉の国は教育大国－デンマークに学ぶ生涯教育」2004年丸善ブックス

「つらい介護からやさしい介護へ－介護の仕事を長く続けていくために」2006年ワールドプランニング

「北欧に学ぶやさしい介護－腰痛をおこさないための介助テクニック」2009年ワールドプランニング　解説書付きDVD

「デンマークの女性が輝いているわけ」2020年大月書店（共著）

澤渡夏代ブラント　（さわど　なつよ　ブラント）

1946年東京生まれ、武蔵野女子学院卒業後デンマークへ、1969年デンマーク人ブラントと結婚。2男1女の母。フリーランスの通訳業務を経て1985年コーディネイション会社設立。デンマークの医療・福祉・教育分野をテーマにして日本人を対象としたデンマーク長期滞在型研修を企画運営、日本においての講演活動も多数。同時期に日本のテレビ・メディアの取材のコーディネイターも兼務。2018年に活動ストップ。現在はシニアライフを楽しみながら執筆・講演活動を通してデンマーク事情を日本に発信すると共に、デンマーク社会を深掘中。

主な著書：

「豊かさ実感できる医療もとめて」1993年 章文館出版（共著）

「福祉の国からのメッセージ、デンマーク人の生き方・老い方」1996年丸善ブックス（共著）

「デンマークの子育て・人育ち—人が資源の福祉社会」2005年大月書店

「デンマークの高齢者が世界一幸せなわけ」2009年大月書店

「デンマークの女性が輝いているわけ」2020年大月書店（共著）

デンマークにみる 普段着のデモクラシー
——人々が“しあわせ”といえるわけ

2023年6月6日　第一刷発行

著　者　© 小島ブンゴード孝子（こじま・ブンゴード・たかこ）
　　　　© 澤渡夏代ブラント（さわど・なつよ・ブラント）

発行者　竹村正治
発行所　株式会社かもがわ出版
〒602-8119　京都市上京区堀川通出水西入
TEL075-432-2868　FAX075-432-2869
振替 01010-5-12436
ホームページ http://www.kamogawa.co.jp
印　刷　シナノ書籍印刷株式会社

ISBN978-4-7803-1278-2　C0036